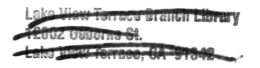

El ojo
del centauro

Una guía visionaria hacia vidas anteriores

Ilustrado por
Angela C. Werneke

Barbara Hand Clow

El ojo
del centauro

EDICIONES OBELISCO

Si este libro le ha interesado y desea que lo mantengamos informado de nuestras publicaciones, escríbanos indicándonos qué temas son de su interés (Astrología, Autoayuda, Ciencias Ocultas, Artes Marciales, Naturismo, Espiritualidad, Tradición...) y gustosamente lo complaceremos.

Puede consultar nuestro catálogo en www.edicionesobelisco.com.

Colección Mensajeros del universo
EL OJO DEL CENTAURO
Barbara Hand Clow

1.ª edición: octubre de 2008

Título original: The mind chronicles: Eje of the Centaur

Traducción: Verónica d'Ornellas
Maquetación: Marga Benavides
Corrección: Leticia Oyola
Diseño de cubierta: Rodrigo Lascano

© 1986, 2007 Barbara Hand Clow
© 1986, 2007 Angela C. Werneke (para las ilustraciones)
(Reservados todos los derechos)
© 2008, Ediciones Obelisco, S. L.
(Reservados los derechos para la presente edición)

Edita: Ediciones Obelisco, S. L.
Pere IV, 78 (Edif. Pedro IV) 3.ª planta 5.ª puerta
08005 Barcelona - España
Tel. 93 309 85 25 - Fax 93 309 85 23
E-mail: info@edicionesobelisco.com

Paracas, 59 - Buenos Aires
C1275AFA República Argentina
Tel. (541 - 14) 305 06 33
Fax: (541 - 14) 304 78 20

ISBN: 978-84-9777-494-9
Depósito Legal: B-35.254-2008

Printed in Spain

Impreso en España en los talleres gráficos de Romanyà/Valls S. A.
Verdaguer, 1 - 08786 Capellades (Barcelona)

A Gerry Clow

Me gustaría dar las gracias a Gregory Paxson, a Chris Griscom y a Rick Phillips por haber sido mis terapeutas y mis guías en estos viajes.

Me gustaría agradecer a Angela C. Werneke sus exquisitas interpretaciones de las visiones que vi mientras exploraba mis vidas anteriores.

Y gracias a mis editores por ayudarme a convertir las *Crónicas de la Mente* en un libro conciso.

> *La misión de nuestra época es reinventar al ser humano reflexivamente en el nivel de la especie, dentro de la comunidad de sistemas de vida, en un universo que evoluciona con el tiempo, a través de historias y experiencias de sueños compartidos.*

THOMAS BERRY

Introducción

Regresión a vidas anteriores para la transformación personal

POR EL TERAPEUTA GREGORY PAXSON

Estás a punto de comenzar a leer una historia extraordinaria: el viaje interior de Barbara Hand Clow. Y si armonizas con ella, es posible que inicies tu propio viaje. A través de sus viajes al pasado para encontrarse a sí misma, Barbara ha encontrado al Yo Superior que se transforma y alarga la mano para tocar y transformar a todos los que lo deseen.

El vehículo para este viaje es la regresión a vidas anteriores, una técnica para acceder a recuerdos de encarnaciones anteriores. Se han escrito muchos libros sobre el tema, examinando los recuerdos de vidas anteriores desde el punto de vista estadístico, terapéutico, metafísico y emocional. Por lo que yo sé, esta es la primera narración de una serie de regresiones realizada por la persona que las ha experimentado y no por el terapeuta o el investigador.

Esta es la historia de Barbara, contada como un paso integral en su propio camino de creación. Mi tarea consiste en describir el enfoque de trabajo que reveló lo que Barbara encontró dentro de sí misma y en revelar algunos de los pensamientos que están detrás de dicho enfoque.

Este libro es único en varios sentidos. Ha surgido de un nuevo enfoque de la regresión a vidas anteriores: utilizamos los recuerdos de vidas anteriores como un vehículo directo para la transformación, para dar importantes pasos evolutivos. En él, Barbara cuenta, literalmente, las experiencias más poderosas de esas vidas anteriores. Su historia muestra cómo una serie de regresiones a vidas pasadas, guiadas para buscar lo más elevado en el Ser, puede hacer milagros. Se trata de una técnica equilibrada, poderosa y eficaz para producir un crecimiento cuántico que está de acuerdo con la integridad de la persona.

A través de la mirada de las encarnaciones anteriores de Barbara, podrás entrar en las mentes y en las vidas de personalidades tanto corrientes como extraordinarias. Pero en este enfoque, las personalidades extraordinarias se buscan a propósito: contienen las energías de la iniciación, las llaves que abren las puertas de la transmutación. Experimentarás con Barbara la vida y la obra de Aspasia, consultando el Oráculo de Delfos en el año 1400 a. C.; de Ichor, Iniciado de Osiris en el reino de Amenhotep II y de un sacerdote católico romano en su verdadero trabajo como vidente celta. Con estas vidas y otras incluso anteriores, entrarás en el interior de misterios tan antiguos como la vida en la Tierra, narrados a través de las voces de aquellos que los vivieron y en el contexto de su propia época: cuando la alta espiritualidad era vista como una capacidad técnica, trabajando en cooperación con las energías más elevadas de la Creación y contribuyendo con dicha capacidad al bienestar de la sociedad.

En esas vidas antiguas encontrarás un modelo de espiritualidad distinto al nuestro: uno que tiene poco que ver con estar libres de pecado o con la paz interior, pero que tiene todo que ver con el servicio práctico a un nivel literalmente espiritual. Aquí vemos, abarcando miles de años, un modelo de espiritualidad en una relación integral con la sociedad con un valor objetivo, que no subjetivo, en la vida cotidiana. Ahora que tú y yo atravesamos el umbral, o el precipicio, del cambio de Era, este modelo «místico» de la espiritualidad como una capacidad objetiva y técnica es esencial.

Todavía me maravillo ante la coherencia de las descripciones de prácticas y técnicas antiguas, no registradas, provenientes de tantas personas que varían tanto en sus conocimientos y creencias. O sus narraciones sobre culturas como la Atlántida, tan avanzada, que se destruyó de una forma tan absoluta que no dejó ningún rastro, pero que me han descrito con detalles coherentes al menos un centenar de mis clientes. Los relatos de Barbara sobre el trabajo con la energía, sobre las misteriosas enseñanzas interiores y las culturas antiguas, coinciden con los de muchas otras personas. Incluso los acontecimientos extraordinarios del último capítulo de *El ojo del centauro* tienen su paralelo en mis archivos.

Probablemente la aproximación más emocionante para verificar la realidad de vidas pasadas sea traer al presente una habilidad o técnica de una vida anterior, una que pueda ser utilizada por la persona en la actualidad. Puesto que cualquier ser humano contiene muchas variables, esta es la aproximación menos científica, pero como cada uno tiene una vida que vivir, es la más valiosa. También es la más personalmente sustancial, dado que en la expresión de una capacidad de una vida anterior en esta vida, la verificación y el crecimiento son integrales. Mi propia experiencia al recordar cómo esquiar, procedente de una encarnación que finalizó años antes de mi nacimiento, fue lo que me impulsó a iniciar mi trabajo con la regresión. Para mí, planteaba la pregunta de qué grandes saltos podrían ser súbitamente factibles para cualquier persona: ¿qué riqueza de posibilidades hay en una distancia tan corta? En el caso de Barbara, su primera experiencia con dicho fenómeno ocurrió durante una aparición en televisión, mientras ella sintonizaba con el sólido entusiasmo de Erastus Hummel para hacer que su presentación cobrara vida como nunca antes. Los cambios a largo plazo en su vida y en su trabajo dan fe del poder inherente de sintonizar con lo mejor de nuestras encarnaciones anteriores.

Al trabajar con cualquier cliente, yo busco los cuatro puntos de verificación: alivio de los síntomas, exactitud de los detalles, coherencia estadística y facilidad para reproducir habilidades del pasado. Ciertamente, con todas las evidencias posibles, la reencarnación es una idea que no ha sido demostrada. La existencia de Dios es igualmente problemática, porque en cualquiera de los dos casos, o en asuntos de similar magnitud, no hay ninguna prueba física. En cierto modo es como intentar demostrar tu amor por alguien. Las pruebas circunstanciales, a pesar de que hay muchísimas, son lo mejor que tenemos. La regresión a vidas anteriores promete mucho más que simplemente verificar la reencarnación.

La regresión a vidas anteriores es un proceso único en sí mismo, que va más allá del alivio de síntomas o la validación de una creencia. La regresión nos proporciona un medio para explorar una esfera más amplia de la realidad desde un punto de vista personal. La realidad personal conecta con una realidad cósmica que es constante. Esa conexión, y el poder, la autenticidad y la eficacia del proceso, cuando son guiados correctamente, por un lado diferencian el trabajo con vidas anteriores de la psicoterapia y, por otro lado, de las técnicas conocidas para el desarrollo espiritual. La terapia se centra en lo personal; las disciplinas espirituales se centran en lo cósmico. La regresión las conecta, integrando la sanación personal y el crecimiento espiritual en un proceso espontáneo.

Tú eres mucho más que lo que esta vida te ha mostrado hasta ahora. Históricamente, cada cultura ha favorecido ciertas posibilidades humanas a expensas de otras. Sólo puedes conocer tus propias posibilidades volviendo a entrar en vidas vividas en otras culturas, con la finalidad de encontrar los recursos fomentados por gente que veía la vida de una forma básicamente distinta a como la vemos en la actualidad. Al ver, percibir y sentir esas otras esferas de ti mismo, encuentras la resonancia de ese poder olvidado que está volviendo a despertar en el presente.

Ese es el misterioso poder de la memoria, y es un poder de renovación, de nueva vida en resonancia armónica con la antigua Tierra del corazón. Esas vidas se convierten en tus maestros, sumamente personales y directos, en una época en la que es difícil encontrar maestros valiosos.

He notado que una historia con ciertos tipos de trastornos psicológicos o funcionales es característica de personas que han llegado a esta vida con unos niveles superiores de consciencia intactos. Las primeras experiencias de la infancia de Barbara de «sesgo de la realidad» y su intento de suicidio a la edad de cinco años la colocaron en el extremo fuerte de la extensión, pero dentro de ella. Es muy probable que el hecho de nacer en esta cultura teniendo las propias energías despiertas nos conduzca, como mínimo, a una vida de soledad y a una sensación de estar fuera de lugar. Mi idea general es que el Ser de mi cliente está trabajando para aparecer en la personalidad que está delante de mí, y que una serie de regresiones desvelará las posibilidades que conducen a la totalidad.

Cualquier Ser, a través de sus diversas encarnaciones, vive mucho más que cualquier cultura. Las culturas, como expresiones de la consciencia colectiva concentradas en áreas específicas de la evolución humana, varían en los tipos de aprendizaje y de capacidades que prefieren. Por lo tanto, las condiciones de cualquier cultura pueden ser, o no ser, compatibles con la esencia de la persona o con las expresiones de esa esencia que la persona ha elegido para esta vida.

En nuestra propia sociedad, se ha desarrollado una esquizofrenia existencial que se manifiesta en las vidas interiores de muchos de sus habitantes. La cultura judeocristiana se basa en los relatos de hombres a los que Dios habló directamente o a través de una zarza ardiente, o que profetizaron mediante sus sueños, y llega a su punto máximo de fervor en el Maestro que hacía que los muertos se levantaran, devolvía la vista a los ciegos y, en el clímax de una larga serie de milagros, resucitó después de la muerte. El hilo conductor que pasa por todo esto es que hay una fuente superior de nuestra existencia y un valor que podemos percibir por medios físicamente objetivos. El abismo entre nuestras raíces fundamentales en «lo Visible y lo Invisible» y la esfera de lo científico, el conocimiento racional del mundo tangible «en el que realmente vivimos», es ancho y profundo. Es como si, individual y colectivamente, tuviéramos que elegir entre valores trascendentes y el sentido común –o intentar contener estas nociones incompatibles de la realidad dentro de nosotros mismos y, fingiendo que no hay ningún conflicto, distanciarnos del Yo.

Nuestra división esquizofrénica enfrenta la racionalidad con la espiritualidad y, por lo tanto, no puede ser resuelta por ninguna de las dos. Entretanto, las fuerzas económicas, políticas, étnicas y medioambientales de nuestro planeta están convergiendo hacia una masa crítica; nuestros valores están tan escindidos que a duras penas podemos comprender lo que está ocurriendo, y mucho menos qué hacer al respecto. De alguna manera, nunca estamos preparados para el cambio de Era.

La división es sentida dentro de nuestros seres individuales como un conflicto. La ansiedad generada por dicho conflicto parece provenir de un desequilibrio psicológico, económico o político: tú eliges. Como generación, estamos cada vez más alejados de los sistemas de apoyo de la familia y los amigos, mantenemos nuestros empleos y a nuestros cónyuges durante períodos de tiempo más breves y se nos pide que nos adaptemos de una forma más competitiva a unas condiciones que cambian con mayor rapidez. Nuestro conocimiento del mundo ha superado nuestro conocimiento de Dios. Las anclas tradicionales de identidad (amor, trabajo y fe) cambian y atraen las corrientes. O se tornan rígidas.

Y, sin embargo, el conflicto entre racionalidad y espiritualidad es falso. Hay un tejido conjuntivo entre la esfera de la fe y la esfera de lo tangible, una conexión que transforma el conflicto en una interacción entre ambas. Ese tejido conjuntivo está formado por una experiencia personal directa de la realidad superior, y el tejido se fortalece convirtiéndose en un músculo cuando dicha experiencia se repite, se expande y se vive, convirtiéndose en un puente que une la fe y la Creación tangible en un todo utilizable. De eso tratan los milagros y los «antiguos misterios». Eso es lo que demuestran los sanadores en su trabajo diario. Esta experiencia es generada fiablemente por la regresión a vidas anteriores: proviniendo de la apertura en lugar de provenir de la teoría y las creencias, empezando exactamente desde el lugar en el que uno se encuentra.

Este es el valor esencial de lo que Barbara nos cuenta aquí. Su experiencia personal de la realidad superior, incluyendo todo su portento y su virtuosismo técnico, y cómo unió su yo racional con su yo creyente y los integró, es su regalo para ti.

GREGORY PAXSON
Chicago, Illinois
Octubre de 1985

1

El bufón de la corte, el romano
y la dama victoriana

Recuerdo exactamente lo que sentía cuando era un bebé, con los puños cerrados y dando patadas. Todas las cosas eran primarias; las emociones y los actos eran uno. Mientras apretaba el puño y empujaba con él al tiempo que daba patadas con los pies, la energía se movía libremente por mi organismo, y éste respondía automáticamente. No había ningún temor; no había ninguna voluntad o conciencia de mí. No había ninguna diferencia entre mi ser y las cosas que me rodeaban: eso era el éxtasis.

¡Estoy bailando en la corte! Mi túnica se ajusta alrededor de la cintura y se arremolina en una falda con cascabeles en las puntas. Es de felpa verde y gris, al igual que mis zapatos. Mi traje parece estar hecho de escamas de pescado y los cascabeles suenan cuando salto y golpeo los pies contra el suelo. El techo gótico que está encima de mí es alto y ornamentado. Los arcos están tallados en madera y pintados con colores vivos. Todo está tallado y pintado de rojo, verde, amarillo y azul. Hay muchísima gente a mi alrededor y me estoy moviendo a una gran velocidad. Tengo una excelente formación como bailarín. Estoy dando pataditas con los pies, inclinándome y haciendo un movimiento descendente con las manos. Doy vueltas con rapidez, golpeando los pies con fuerza contra el suelo. Los zapatos puntiagudos con cascabeles son mocasines, y estoy golpeando mis talones contra las baldosas. La música llega hasta los altos techos mientras hago sonar la pandereta contra mi rodilla, agitándola, pisando muy fuerte

·Und der lacht·

y girando. Casi pierdo el equilibrio mientras giro cerca de unas personas que ríen alegremente.

Hay damas muy bellas aquí, y yo les presto mucha atención. Estoy peligrosamente cerca de ellas y les sonrío. Ellas no me prestan ninguna atención, pero tengo la libertad de mirarlas cuanto quiero. Puedo mirar a cualquiera, siempre y cuando continúe bailando al ritmo de los músicos. Tengo catorce años y mis ojos se salen de sus órbitas porque hay mucho que ver.

Cuando el baile llega a su fin, me retiro. Los músicos salen desfilando mientras yo voy bailando detrás de ellos. Hay diez o doce, y todos son mayores que yo. Pasamos por un hermoso pasillo con baldosas verdes, rojas y amarillas en el suelo, y un revestimiento tallado en las paredes. Los techos son muy altos, con arcos abovedados que están tallados y pintados con colores vivos. Descendemos a una arcada baja para entrar en las habitaciones de los sirvientes. Ahora el pasillo es estrecho, el suelo es de madera y unos escalones más abajo está la cocina de la servidumbre. Antes de entrar, los músicos dejan sus instrumentos en el suelo mientras yo me quito el sombrero puntiagudo, lleno de cascabeles. La mesa, hecha con tablones de madera, es larga y hay unas bancas a ambos lados. Nos sentamos y esperamos a que nos traigan la cena; nos la servirán poco después de haber entretenido a la corte.

La cocina es larga y estrecha, con techos altos de madera oscura. Las paredes son de piedra, sus vigas son pesadas y uno siente como si estuviera en una iglesia. Todos tienen un estado de ánimo festivo. Nos reímos y hablamos de las escenas vistas en la corte. Las mujeres músicos llevan puestos unos vestidos escotados para placer de la corte y me toman el pelo porque me quedo mirando fijamente sus pechos elevados. Se ríen y me pellizcan las mejillas mientras bebemos vino de unas copas talladas en peltre. Traen cerdo rustido cubierto con una capa de mermelada pringosa y rodeado de gruesas zanahorias en grandes bandejas. Empapamos el pan negro en la salsa. Luego traen fruta, apilada en unos pesados cuencos.

Más tarde, camino dando traspiés por un pasillo estrecho con suelo de piedra que conduce hasta el lugar donde duermo. Los arcos son triangulares y están hechos de madera. Las paredes son de estuco y unos pesados tapices cuelgan de ellas para ayudar a absorber el implacable frío y la humedad. Los techos abovedados apenas son visibles a la luz de los candelabros que hay en las paredes. Las pesadas puertas de madera de mi habitación tienen unos aros grandes de hierro, y chirrían cuando las abro. Entro y camino hasta la ventana, apartando la pesada tela que la cubre. La ventana es pequeña, con un grueso alféizar. La luz del sol en el exterior es muy fuerte y destella en el cristal lleno de burbujas. Abro la ventana y descubro que los muros de piedra son tan gruesos que no puedo llegar a la pared exterior. Es el siglo dieciséis en Leipzig y este edificio ya tiene más de cuatrocientos años de antigüedad. Hay rejas en la abertura. Al mirar hacia afuera, veo hierba amarilla y unos árboles intensamente verdes. Mis pensamientos se dirigen hacia mis estudios.

Mi habitación tiene una pequeña cama cerca del suelo y una silla oscura de madera con respaldo alto. Hay un poco de ropa en mi baúl y encima de él hay un gran libro amarrado con cuero. No paso mucho tiempo aquí, porque los libros de la casa están en la biblioteca del conde. El pesado libro que está sobre el baúl es la Biblia. La abro. Comienza con un *Und der Lacht* escrito con letras rojas y azules ornamentadas, pero no me gusta. Me gustan más los libros de la biblioteca. Esta habitación no es donde paso más tiempo. Me gusta bailar en la corte y estudiar en la gran biblioteca, y mi nombre es Erastus Hummell.

Mientras estoy acostada en mi cuna en mi quinto mes en esta vida, siento a Erastus mientras muevo los pies y los golpeo con fuerza contra un lado de la cuna. Me pregunto si había otras maneras de despertar a este bufón del Renacimiento en mis músculos y en mis huesos para contrarrestar la parálisis que siento en el aire. Durante esos primeros meses, cuando mi nueva vida como Barbara organizaba mi sistema nervioso, volví a experimentar a Erastus como un éxtasis sistémico. La encarnación actual se estaba complicando y amenazando con aplastar el frágil hilo que me conectaba con la consciencia total. Esta vez fue el bufón, mi payaso interior, el que encendió la vela de mi espíritu cuando me quedé temporalmente ciega debido a una rara enfermedad ocular a los cinco meses.

Mis ojos estuvieron completamente cerrados durante cuatro días y cuatro noches. Me dejaron sola en mi cuna y nadie parecía percibir mi terror mientras mi mundo se sumergía en la oscuridad. Esto era demasiado como para que mi madre pudiera hacerle frente, y a las enfermeras yo no les importaba. Simplemente me dejaron en mi cuna en medio de una negrura inexplicable, ¡como si las puertas del Infierno se hubieran abierto y me hubieran tragado! En cuestión de unas pocas horas, me invadió una ansiedad y un terror inmensos, un terror tan grande que, por lo visto, estuve despierta durante esos cuatro días y cuatro noches. Todos mis miedos más profundos de vidas anteriores invadieron con violencia mi organismo, accediendo a terrores tan tempranos, y en un grado tan intenso, que mi voluntad de vivir se vio desafiada demasiado pronto. Todas las voces empezaron a resonar desde las profundidades de mi cerebro mientras yo yacía impotente y ciega en mi cuna.

Me están llevando por el pasillo de una prisión. Las celdas están llenas y hay gente en los vestíbulos, durmiendo con sus harapos y sus pulgas. No puedo imaginar quiénes son. Los soldados que me sujetan pasan dando traspiés por encima de ellos y los patean y, sin embargo, ellos no salen de su estupor. Creía que me iban a meter en una de esas celdas, pero no lo hacen. Tiran de mis miembros con tanta fuerza que me preocupa que mis articulaciones no lo resistan mientras me llevan hasta una habitación redonda al final del pasillo. Soy un hombre bajito de veinte años. Me han traído a una prisión en Roma y la ciudad me asusta. Soy de campo. Este lugar apesta, ¡y esos barrotes! Los guardias me introducen en la habitación redonda. Dentro, sólo hay una mesa de madera cubierta con instrumentos quirúrgicos y sé lo que me van a hacer: ¡me van a castrar! Me di cuenta de ello cuando pasé por las puertas con barrotes. Empiezo a moverme violentamente. Se me cierra la garganta y me estoy ahogando. La luz se convierte en una bruma gris y la adrenalina llega a toda velocidad a cada célula de mi cuerpo; mis sentidos se borran. Estoy empujando y dando codazos a los cinco o seis soldados, como un animal salvaje acorralado. Muerdo y echo bruscamente la cabeza hacia atrás cuando veo el pelo rubio dorado y los vacuos ojos azules de un soldado que está disfrutando con esto. Los otros no quieren hacérmelo, pero el pequeño rubio me mira maliciosamente cuando intento morderle y arañarle. Es inútil.

Mientras estoy tumbado sobre la mesa, también siento que estoy flotando por encima de mi cuerpo, observándolo. Me han quitado los pantalones, y mis genitales están al descubierto. Siento un terror absoluto mientras la fuerte luz hace estallar mi mente, rodeada de un zumbido ensordecedor; la existencia cesa. Un hombre que viste una larga túnica blanca entra y coge un cuchillo delgado, de unos diez centímetros de longitud. Lo veo desde fuera, pero no del todo, ¡y el dolor ardiente es increíble! Mis piernas están sujetas y me duelen porque casi no puedo moverme para liberarme del calambre. El hombre me corta un testículo y la sangre brota como una espesa agua caliente. Mi savia, mi fluido, salpica en el suelo. Entonces, una pasividad nauseabunda pero tranquilizadora inunda mi mente. Me levantan, me sacan de la habitación rápidamente y me introducen en una de las celdas del pasillo. En el interior hay una mujer y me derrumbo cerca de ella, retorciéndome de dolor, con las piernas encogidas. Ella acaricia mi espalda con movimientos largos y lentos de la mano, mientras mira fijamente al techo, sin ninguna expresión en su rostro. Me acaricia la espalda hasta que pierdo el conocimiento.

En esta vida, nadie me acarició durante mi ceguera. Hubo otro recuerdo que salió a la superficie desde las profundidades durante mi ceguera: el recuerdo de mi vida como dama victoriana, justo antes de mi nacimiento en 1943.

Primero, empiezo a fundirme con su cuerpo, pero está demasiado cerca; ella es mi sombra. Como si tuviera dos cuerpos en uno, puedo ver su rostro fofo de ojos marrones yendo a la deriva por mi realidad. De la misma manera en que siempre veo el rostro de mi propia madre cuando me miro en el espejo, también me veo con el rostro de esa mujer de hace tanto tiempo. Este ir a la deriva es una agonía de imágenes livianas que se mueven como un polvo que no puedo asir. Como si sólo el terror comprimido pudiera hacerme entrar en su recuerdo, lucho por no conocer el terror extremo; voy a asfixiarme en la trampa giratoria de una araña hembra.

Como si sólo una mujer pudiera conocer todo el horror del hilo de seda que sale interminablemente del cuerpo de la araña hembra, en mi ceguera empujo frenéticamente contra la prisión arácnida de mi cuna. Mi pesadilla jadeante sale despiadadamente de unos suaves cojines grises de saliva pegajosa y entra en el negro e inmisericorde girar.

La última imagen que activó mi cerebro ciego fue que mi cuna entraba girando en el nido de la viuda negra, y entonces me convertí en ella. Rompí todas las reglas del karma cuando entré en ella y me convertí en ella. Me convertí en la mujer que había muerto once años antes de mi nacimiento en 1943.

Soy una mujer alta y huesuda, con una media melena de pelo castaño ligeramente rizado. Mi piel es suave y flácida, mi nariz es grande, con un bulto en el caballete, y mis ojos jamás se posan directamente en nadie. Llevo puesto un jersey de cachemira de color azul claro, con una rebeca marrón encima, y una falda escocesa marrón y *beige*. Soy poco atractiva y tengo casi cuarenta años. Jamás tiraré mi jersey marrón porque hace que me sienta segura, y llevo puestas unas medias azules con unos zapatos de cuero corrientes. Estoy de pie sobre una gran alfombra oriental en una elegante habitación con artesonado de madera, llena de muebles pesados. Todas las personas que están en la habitación visten ropa abrigada de invierno y son todas muy ricas.

Miro a través de la ventana salediza para contemplar el escenario de una calle con casas de piedra caliza de color rojizo de dos y tres plantas, y elegantes edificios de piedra gris con pequeños patios separados por unas vallas de hierro forjado que parecen hechas de encaje. Las ventanas de cristal ondulado están frías y húmedas. Hoy no hay nieve, pero la tierra está completamente helada. Algunas hojas otoñales son llevadas de aquí allá por el viento o están congeladas sobre la hierba rígida. En la calle hay Chevrolet, Packard y algunos Ford aparcados.

Es Chicago en el mes de noviembre y mi nombre es Leonore Brewer Cudahy. Esta casa es una gran casa que hace esquina, y fue construida en 1883. Es rígida e inflexible, como mis familiares que han vivido aquí durante todos estos años. Esta casa es como una prisión, pero no se me permite decírselo a nadie. Mi alma está prisionera en mi cuerpo mientras éste se encuentra en la casa. Hay un reloj sobre la repisa de la chimenea que dice que son las nueve de la mañana. Entro en la biblioteca que está al otro lado del vestíbulo y veo una revista *New Yorker* sobre la mesa; la fecha es 17 de noviembre de 1928. Entro al vestíbulo para mirarme en el espejo. Veo el rostro de mi madre en lugar del mío; siempre me ocurre esto. Mi madre murió cuando yo tenía diecisiete años, justo cuando yo me preguntaba si era bonita o no lo era. Su rostro altivo está enmarcado por un sombrero de terciopelo con plumas, y detrás de ese rostro veo el mío. No me gusta ver mi rostro porque soy infeliz, de modo que miro hacia otro lado. Se pueden leer muchas cosas en las líneas de mis ojos; es como contemplar una bola de cristal de cuarzo ahumado.

Soy la mujer victoriana que no pasa mucho tiempo con sus hijos. Todo en esta casa es controlado por la madre de mi marido, por los sirvientes y, ciertamente, por mi esposo. No puedo cocinar para mis hijos, ni arreglar sus dormitorios, y el chófer los lleva adondequiera que vayan. Mi suegra me critica porque quiero pasar tiempo con mis niños y relacionarme con ellos. ¡Es como si fuera tóxica para mis propios hijos! Ella hace que mis hijos se pongan del lado de su familia y los aleja de mí. Soy pasiva y no lucho contra ello. Dejo que todo eso me ocurra porque las células que están en las profundidades de mi cuerpo son cancerosas. A mi suegra no le importa mi sentimiento maternal hacia mis hijos. Lo que le importa es que se perpetúe el modo de vida que siempre ha existido. Ella tiene un control financiero absoluto sobre mi marido. Él hace los negocios como ella quiere. Es como si esta casa perteneciera a mi suegra, porque ella es la que manda. Controla toda la riqueza, y nosotros existimos a base de sus regalos.

Mientras cenamos de una forma sumamente formal en la gran mesa, observo a mis hijos. Están acicalados y bien vestidos, y se lo están pasando bien. Me siento muy débil, como si ellos tuvieran más poder que yo. Sé por qué me siento débil. Estoy enferma, muy enferma. Cuando me miro al espejo, siento que en mi reflejo se hace patente mi enfermedad. Es como si hubiera tenido hijos para otra persona. Los quiero muchísimo, pero me siento atrapada dentro de mí misma y no consigo llegar a ellos. Siento que si intentara acercarme a mis niños, ellos me rechazarían, porque los han condicionado para que sean fríos conmigo. Recuerdo al primero, Michael, todo vestido de blanco cuando era un bebé. Yo tenía veinticuatro años, pero contrataron a una enfermera para que cuidara de mi hijo. ¡Todos tenían siempre tanto miedo de los gérmenes! Yo lo tenía en brazos un rato y luego la enfermera se lo llevaba. Ahora siento que eso no fue bueno. Recuerdo haberlo tenido en brazos cuando estaba toda arreglada y después devolvérselo a la enfermera porque iba a salir a cenar. Ahora me doy cuenta de que eso no estaba bien, pero no puedo hacer nada al respecto. Mi percepción de la vida es que extiendo los brazos y entrego a mis hijos a alguna otra persona. Estoy vestida como siempre y me siento sorda y apática, y todas mis respuestas son automáticas. Me gusta mucho el lago y acabo de tener un recuerdo de haber navegado en un barco. En ocasiones tengo una sensación de naturaleza, pero la mayor parte del tiempo estoy en edificios de piedra en los que no puedo respirar.

Ir a la deriva, a la deriva; es tan opresivo. ¿Cómo puede alguien soportar ir a la deriva? Estoy acostada boca arriba, sosteniendo una manta, y la opresión está presente desde hace tanto tiempo que dejo de ir a la deriva y simplemente caigo. No puedo ver. Caigo suavemente, como una nieve interminable, en la muerte de mi última vida. Esto va en contra de todas las leyes del karma humano, pero si un bebé pequeño sufre lo suficiente, revivirá sus muertes anteriores con la finalidad de encontrar un nuevo camino. En esta ocasión he tenido que pasar por la pasividad de la mujer victoriana para poder activar mis pulmones y emitir mi primer llanto en esta vida.

Tumbada en mi cama, espero mi fin con resignación. El cáncer finalmente ha ganado la batalla. Tengo cuarenta y tres años y ya no me importa nada. Lo único que deseo es que mi hija se vaya. Sus ojos de color azul aciano hacen que me sienta tan mal que siento que me ahogo. La estoy dejando atrás y me pregunto si alguien puede oírme llorar débilmente. Me hubiera gustado estar cerca de mi hija, pero no ha sido así. Ahora ella está ahí, de pie, como un momento perdido en el tiempo. Tiene diez años y sabe que me estoy muriendo. Como un animal, lo único que quiero es arrastrarme hasta un hoyo, pero ahora no puedo rechazarla. Sólo peso 36 kilos. Hay luz alrededor de mi hija. En ese momento, cuando está ahí conmigo, ¡decide que nunca va a vivir! Ingiere mi pasiva mortandad, como si el cáncer fuera a empezar cuando las hormonas femeninas se activen más adelante en su cuerpo. Soy consciente de que, en su mente, decide morir, y sé que mi hija jamás conocerá la pasión que yo sentí siendo joven.

El silencio nos rodea porque ella siente que yo soy la única vida que ha conocido jamás. Cuando la vida sale de mí, una parte de mi hija muere también. Ella sabe que yo odiaba todo lo que me rodeaba, de modo que lo único que dejo son los estilos de vida que vivimos. Su alma sintonizaba con la persona que yo era realmente, y ella sabe que lo único que queda son las estructuras mortales. Ella muere conmigo y, más adelante, la sociedad se convierte en su vida. La luz que hay alrededor de ella me aterra. Veo como su Ser Superior la abandona esa mañana. Yo puedo ir hacia la luz, pero ella vivirá su vida sin ella.

De modo que, cuando llegó la hora de mi muerte, no pude abandonar a mi hija. Me quedé atrapada y me quedé flotando cerca de la Tierra hasta que regresé como Barbara para volver a encontrarla.

2

El sacerdote de Osiris
y el druida

La ceguera cesó y la luz bendita llenó mi realidad. Mis músculos se fortalecieron, mientras que mi sombra se retiró a un lugar muy profundo dentro de mi cuerpo. Cuando empecé a caminar, el poder se intensificó en mi mente. Fue una época maravillosa de avanzar implacablemente hacia delante pero, después de caerme unas cuantas veces, la sombra se dio a conocer en la forma de un sentimiento de vacío que se encontraba en los bordes de unos precipicios desconocidos. La adrenalina inundó mi cuerpo. Entonces mi cerebro tuvo acceso a unos recuerdos tan intensos de tiempos antiguos que todavía me pregunto cómo pude vivir esas otras vidas. Me pregunto de qué manera Ichor es un fragmento de mi esencia. Conocer a esta extraña sombra egipcia y ser capaz de volver a ver a través del Ojo de Horus ha hecho que esté más anclada en mi realidad actual. Como todas las sombras, el lado oscuro desaparece cuando brilla el sol, así que ahora el ojo de mi mente retrocede, retrocede hasta un recuerdo mítico que me persigue...

Estoy viajando en una pequeña barca por un afluente del Nilo, acercándome a un pequeño templo cerca de Filae. Soy un hombre y llevo puesto un pesado tocado que tiene una cobra enroscada sobre mi frente. Llevo sandalias y un cinturón de cuero ancho que sujeta mi taparrabos de lino. Siento la energía en el uraeus, la serpiente de la Creación, que está justo encima de mi tercer ojo. Desde otra dimensión, veo rayas rojas, amarillas y doradas que irradia la serpiente. Me dejo llevar muy lejos en el tiempo y leo los jeroglíficos grabados profundamente en mis brazaletes de iniciación de oro.

«Ojo corredizo de la serpiente,
el viento lleva el trigo y la cebada,
al granero antes del Solsticio de Invierno.
Yo soy el Señor del Cereal.
El cereal viene de la gente,
el cereal viene del Sol.
Estas señales son las señales del que yo soy: Osiris.»

Vengo aquí para hacer la conexión energética para iniciar el ciclo de sembrar y cosechar. Si no conecto la energía, se romperá el ciclo en el Reino. Me bajo de la barca y camino por el sendero que lleva al templo de piedra. La entrada tiene unos dieciocho metros de altura, mientras que el templo en el interior tiene aproximadamente una altura de cuarenta metros. Todo es anguloso, poco recargado y hecho de granito. La luz entra a través de una ventana de cristal de cuarzo que está encima de mí, a mi izquierda, que mide unos treinta centímetros de diámetro. Hay una pirámide en el centro que es casi tan alta como mis muslos, con una fuente de energía en la parte superior. Ya casi es la hora en que los rayos del Sol entran a través del cristal que está encima de mí, a mi izquierda. Avanzo para colocarme delante de la pequeña pirámide y la luz empieza a iluminar el cristal. Cuando el Sol está en el Toro, entra brillando a través de la parte superior de la pirámide como un rayo láser. ¡Está ocurriendo! La luz forma un rayo azul en la parte superior de la piedra que está en la cima.

Cierro los ojos mientras mi cabeza se llena de luz azul; estoy de pie, muy rígido, con las piernas ligeramente separadas. Con los brazos hacia atrás y hacia abajo, y con el pecho hacia delante, estoy en la postura. Me siento fuerte en esta posición. Todavía no estoy mirando hacia la parte superior de la pirámide porque el rayo de luz no la ha iluminado. El cristal de cuarzo resplandece; empieza a brillar y concentra un intenso rayo láser en la cima de la pirámide. ¡El color relampaguea por las paredes y el suelo del templo! Mis ojos están cerrados, pero puedo sentir los rayos. Es como estar en un generador eléctrico sobrecargado: siento una punzada penetrante en mi uraeus real, como un aneurisma. Ha llegado el momento de mirar. Abro los ojos y miro hacia abajo, contemplando la piedra que está en la cima de la pirámide. La luz se intensifica todavía más y veo un ojo en la piedra, el perfil de un halcón que mira hacia los lados. (Esta es una imagen de Horus.)

Utilizando todo mi poder simplemente para permanecer en mi sitio, siento que el Ojo de Horus está enviando una luz ardiente hacia el interior de mi uraeus real, el cual cobra vida en mi tercer ojo. Convulsiono mientras mi cuerpo se pone rígido con una sacudida masiva. Siento como si tuviera una vara de energía dorada en mi columna vertebral y, súbitamente, mi falo se pone rígido mientras cada célula de mi cuerpo se fusiona. Esta energía es muy física y pesada, y atrae hacia mis piernas y muslos un magnetismo de la Tierra que se dispara hacia mi falo, y los músculos de mis ingles se ponen como una roca. En un momento dado, el magnetismo se disipa y pierdo la rigidez.

Nunca me ha gustado esta ceremonia, en absoluto, y tengo que deciros por qué me obsesiona tanto. Soy Osiris Min, el que recoge la energía de la Tierra de Filae para llevarla río arriba por el Nilo para la cocreación del cereal. Esta es una forma de locura que deja una impresión imborrable en mi mente durante todas mis vidas. Este es el poder del Ojo de Dios en el Ojo de Horus. Estoy mirando fijamente la parte superior otra vez: ¿qué es? Es una superficie convexa cristalina como el interior de una colmena llena de un pozo de líquido gris parecido al mercurio. Cuando es activada por la luz a través de la ventana de cristal, vibra y emite poder. Emite una fusión zumbante de sonido y luz que es como unos tonos que suenan en los cristales. Cuando alargo las manos para atraer hacia mí el poder para que las personas puedan sembrar cereales, soy el instrumento del crecimiento y mengua del tiempo. Soy Osiris, Señor del Cereal, ¡y soy el Sol! El poder llega a mí desde 360 grados, pues no tengo un lado oscuro como la Luna.

Cuando estoy ahí con la cabeza inclinada mientras los rayos del Sol van menguando, siento como si hubieran extraído la médula de mis huesos. He informado a los dioses de que el ciclo ha comenzado. Nuestros rituales, cuando comunicamos a los dioses lo que necesitamos, dan inicio a los ciclos. Me doy la media vuelta y salgo de ahí, nadie me habla, y hago el camino de regreso por el sendero, pasando entre las palmeras y los olivares, hasta llegar a la barca. Está tallada en una madera blanda de color claro, tiene unos nueve metros de longitud y tres metros y medio de ancho en el centro. Hay seis remeros esperando dentro de la barca, pero no los veo cuando me siento en el medio. Mientras hacen avanzar la barca con los largos remos por la estrecha vía fluvial, no los veo porque estoy entrando en un trance.

Llegamos a mi barco, el buque solar, que está atracado en las profundas aguas del Nilo. Mide treinta metros de longitud y tiene sesenta remeros, quince pares a cada lado. Está hecho para el largo viaje de cuatrocientas millas a Menfis y Heliópolis. Hago este viaje una vez cada primavera. Camino por un tablazón, entro en el barco y me siento en mi silla en la parte delantera. Los remeros salen con una fuerza rápida, suave y silenciosa: son militares. Mi maestro, Mena, que viste una larga túnica blanca atada con una cuerda en la cintura, cubre mis hombros con una larga capa que hace juego con mi tocado. Es bonita y está hecha de escamas de oro, lo cual hace que sienta que provengo del mar. Es un honor que él me ponga este manto. No habla, y se asegura de que todo esté organizado antes de que partamos, puesto que yo estoy en un profundo trance, y vuelvo a tener una erección mientras estoy de pie vistiendo mi capa.

Avanzando por el Nilo, soy una vara eléctrica que respira con el viento y las corrientes del río, sintiendo las fuerzas cósmicas; fusiono las energías de la Tierra con las fuerzas del cielo en mi cuerpo. Pasaremos por Tebas de camino a Menfis, manteniendo las fuerzas sethianas en equilibrio. En tanto que avanzamos río abajo por el delta, tengo visiones de canales, acequias y lagos sagrados mientras le rezo al agua: ¡Fluid suave y uniformemente durante la inundación! Cada primavera creo visiones para que el agua pueda recordar hacia dónde debe fluir durante la inundación, mientras los sacerdotes controlan su nivel con los nilómetros. Cuando pasamos junto a Abidos, visualizo que el agua fluye hacia el canal sagrado y veo cómo rodea el Montículo de la Creación en mi templo, el Osireión. Soy una trayectoria que arrastra las fuerzas del agua con la parte inferior del cuerpo, haciendo implosionar las fuerzas del viento con mi pecho, mientras llevo el plan de la estrella en mi cabeza. Este viaje dura varios días, y nunca duermo.

Cuando nos vamos acercando a Menfis, mi maestro se coloca de pie detrás de mí mientras avanzamos hacia la orilla. Siete dioses me esperan en la plataforma que lleva a la calzada elevada. Visten túnicas de colores vivos con cabezas de animales, y veo verde lima, rojo y dorado. Ahí de pie, parecen siete grandes aves. Están mirando para ver exactamente cuándo la proa toca tierra mientras observan mi falo erecto. Esto es muy importante para ellos, y los astrólogos anotan el momento exacto. Estoy saliendo del trance y lo primero que veo es el Ojo. No soy consciente de que hemos tocado la orilla, puesto que mi consciencia está en el Ojo que se encuentra en la cima de la pirámide. El ojo del halcón es un ojo misterioso, pero no es malvado. Es el Ojo del Conocimiento.

Ahora veo con más claridad el Ojo con la serpiente que corre. Cuando la visualización se intensifica, veo que uno de los dioses en la orilla lleva puesto un tocado de halcón. ¡Ahí está Horus! Al acercarme a él, no puedo ver un rostro, sólo un pico y plumas. Le paso mi imagen del Ojo de Horus a este dios, y entra en su cabeza. El Ojo se convierte en su ojo, y yo vuelvo a estar consciente; me siento aliviado. Cuando paso el Ojo de Horus, un sacerdote toma mi capa y mi tocado y me entrega mi túnica de lino. Ya he hecho esto en siete ocasiones, la primera vez cuando tenía catorce años. Debo hacerlo cuarenta y nueve veces, siete veces siete, si vivo lo suficiente. Hasta ahora, sólo cuatro personas lo han hecho cuarenta y nueve veces, y sólo seis más lo harán antes de la caída del Reino. Conozco el futuro, y estamos en el año 1423 a. C.

Mena y los siete dioses me siguen mientras ascendemos en grupo por los escalones de piedra que están junto al nilómetro. Nadie nos mira: no está permitido, ya que sólo pueden ver a los dioses durante ciertas épocas. Subimos por los catorce escalones amurallados que se encuentran a sólo tres metros por encima del Nilo, que dentro de poco subirá hasta el escalón de la base. Mientras ascendemos, veo las marcas del nilómetro grabadas en la piedra y visualizo el nivel superior de la inundación. No puedo volverme a contemplar el Nilo en estos momentos, pero siento su belleza. Esta es una ceremonia sagrada y nadie habla. Mientras ascendemos por los catorce escalones hasta la cima, ninguno de nosotros mira hacia atrás. Pasamos por una puerta doble de cobre y entramos en la calzada elevada cubierta que lleva al palacio. La calzada está oscura mientras caminamos por ella hasta las escaleras. Al llegar a la sala principal de recepción del palacio, entramos cerca del trono elevado del Faraón. La corte está celebrando la época del Toro, que se festeja cuando hay una inundación de energía primaveral. Mena y yo llevamos puestas unas túnicas sencillas de lino fino porque somos sacerdotes y escribas.

La corte es caótica y está llena de gente. Hay muchos soldados que se entretienen con unas mujeres en la sala, mientras los sirvientes se mueven presurosos de aquí a allá. El Faraón está sentado en lo alto, en su trono, y no está esperándonos como lo estaban haciendo los siete dioses. Cuando entramos en la sala, las personas se percatan de nuestra llegada y golpean sus bastones contra el suelo. Cuando los golpes se intensifican, la corte se queda en silencio porque es el Momento Sagrado. No miro al Faraón; nadie lo hace. Subo hasta su trono, me postro delante de él y conecto con el magnetismo de la Tierra. Girando mi cabeza hacia un lado para estar plano contra el suelo, lo único que puedo ver son las sandalias del Faraón. Horus con el Ojo está detrás de mí y, muy lentamente, hace una reverencia inclinándose. Los otros seis dioses reunidos detrás de él me ayudan a levantarme. Me pongo de pie tambaleándome; estoy en un profundo trance y me siento espeso. Entonces, unas vibraciones eléctricas recorren mi cuerpo cuando entrego toda mi energía al Faraón. Ya está hecho; la corte vuelve a sus festejos y yo me uno a ellos. Soy un noble y miembro de la casta sacerdotal. El faraón es Amenhotep II, y yo soy Ichor, uno de los muchos hijos de su padre.

Cuando era muy pequeña, sentía una poderosa energía geomántica, pero no podía imaginar qué era. En ocasiones podía ver una energía de color blanco azulado alrededor de los objetos que había en la casa o alrededor de árboles y rocas, pero nadie más parecía ser capaz de verla. Cuando me hice mayor descubrí que la casa en la que pasé mi infancia estaba ubicada en el medio de una antigua aldea sauk. La tierra estaba viva, llena de espíritus indios, y esa podría ser la razón por la cual surgieron unas voces sutiles en mi interior cuando era joven. Oía mensajes en el viento y en los árboles que nadie más parecía oír. Mi madre escocesa-irlandesa conocía a los espíritus y guardó este secreto conmigo. Me presentó a todos los seres feéricos que había en su vieja casa victoriana.

Mi cuna de bebé estaba junto a una ventana desde la que se veían las copas de unos viejos robles, olmos y castaños. Fui un bebé del invierno y, cuando me quedé ciega durante cuatro días en verano, escuché con atención, y mi memoria entró en armonía con la naturaleza. Cuando era pequeña me permitían salir de paseo a voluntad, así que me iba al río, a los pantanos, a las charcas y a los árboles. El agua que corría y los espíritus del viento entrenaron bien mis oídos. El espíritu del río, que era un poderoso hermano druida, regresó a mi interior un día cuando un tornado destruyó las tierras de labranza en las afueras de nuestro pueblo.

Tengo veintiocho años y públicamente soy un sacerdote romano, pero también soy un sacerdote druida en secreto. Estamos en Gran Bretaña durante el siglo seis d. C.; esta no es mi tierra. Llevo puesto un anillo de plata con una piedra verde, símbolo de mi Hermandad, la *Liber Frater*. Hoy estoy con veinte personas que visten unos hábitos con capuchas de color rojo borgoña, azul, marrón o gris, hechos de un tejido tosco. Los colores de los hábitos varían según nuestro papel ceremonial. Este es un día importante, así que entre nosotros hay mujeres jóvenes y una anciana. Ahora estamos caminando sobre una línea ley, una línea de energía que crepita por el electromagnetismo. Mientras caminamos, nos encontramos en un estado mental alterado, de oración, puesto que estamos en el solsticio de verano. Está oscureciendo y las estrellas empiezan a aparecer. Nos acercamos al Círculo de Avebury, llamado el Círculo de San Miguel en mi época, en un sendero curvo señalado por unas piedras altas. Avanzamos en una única fila, entre un par de enormes rocas, y nos centramos en el círculo de piedras. Me acerco al centro con cuatro sa-

cerdotes que llevan hábitos marrones; las figuras con hábitos grises entran en el círculo central y las personas que llevan hábitos de color borgoña se colocan en el borde de dicho círculo. Veo estas formaciones con mi ojo interno, pero sólo soy consciente de lo que estoy haciendo.

Somos muy conscientes de cómo caminamos hacia nuestras posiciones y, una vez que estamos ahí, recogemos la energía en nuestro propio sitio y la elevamos. Ladeando nuestros hombros mientras tensamos los músculos de nuestros torsos, mantenemos los brazos rígidos con las palmas hacia la Tierra; luego giramos nuestras manos y empezamos a elevar la energía terrestre. Mientras levantamos lentamente las manos al unísono, la energía empieza a acumularse y a elevarse como una nube de niebla pulsante. Las vibraciones son audibles, como si tuviéramos agua en el interior de nuestros oídos. Formamos un pentagrama perfecto. Cinco de nosotros miramos hacia los lados planos de las cinco piedras altas, cada una de las cuales pesa unas toneladas. Los lados externos son redondeados como las espaldas de los delfines que reciben poder de las estrellas. Las piedras están enterradas profundamente en la Tierra y, como si fueran icebergs: sólo se ven las partes superiores. Estas piedras han sobrevivido a la inundación y a los terremotos, y son muy antiguas. Están ligeramente inclinadas respecto a la posición original que tenían cuando fueron levantadas durante la Era del Doble León.

Coloco las manos en los costados mientras una espiral de viento que se mueve a toda velocidad presiona contra mi pecho. Siento un mareo nauseabundo mientras extiendo los brazos y los codos rígidos hacia adelante y abro las palmas de las manos hacia la piedra. ¡La voy a mover! Ahora, la fuerte energía del viento penetra en mi tercer ojo y empiezo a sentir cómo una energía entra en mis omóplatos desde las espaldas de los otros sacerdotes que están formando el pentagrama conmigo. Somos las cinco puntas de la estrella. Las piedras están delante de nosotros. Siento una punzada caliente en la espalda que llega a toda velocidad hasta el centro de mi corazón. Rígidos como el acero, somos resonadores para las piedras, que sentimos como una gelatina espesa. Los dos círculos externos de gente empiezan a moverse en círculos contrarios, mientras el círculo que está justo después de nosotros se mueve en el sentido de las agujas del reloj y el círculo que está más allá lo hace en el sentido contrario. Todos llevan antorchas encendidas. Estoy desorientado; mi voluntad se disipa y soy arrastrado hacia un estado alterado. Ahora no hay nada que pueda detener esto.

¡Las piedras se están moviendo! ¡Tiemblan y retumban! Cuando las piedras se mueven bajo la tierra, es como un terremoto. Las vibraciones resonantes en las profundidades del centro de la Tierra están enviando ondas a las estrellas. Mantenemos nuestras posiciones mientras anclamos el poder cósmico. Cuando el poder pulsante se intensifica, renunciamos a nuestras voluntades y canalizamos el magnetismo basándonos enteramente en la fe. Tengo miedo. Me invade un pavor terrible cuando una forma gris borrosa se adhiere a mi piedra. Entra y sale de la piedra, cada vez más hábilmente, y luego me agarra de los hombros y entra dentro de mí con una sacudida. Los cinco hemos intensificado nuestra conexión entre nosotros. Me vuelvo tan liviano con la energía, que a duras penas consigo mantener mi posición, aunque me siento totalmente equilibrado. Hemos creado un equilibrio perfecto con nuestro pentagrama: el equilibrio de los dioses. Somos insensibles a las formas que nos están agarrando, pero ese no es el final. Como resonadoras masivas del sonido de las estrellas, las piedras atraen tanto fuerzas negativas como positivas, y debe haber una resolución. Las formas bajan la temperatura. Al mirar el plasma gris que me atrapa, veo un ojo con fuego en su iris que me está mirando fijamente.

La forma gris se convierte en una forma de dragón o de grifo que fija su vista en mí: un alma incorpórea que busca liberarse, o quizás desea poseerme. Me siento solo y receloso, así que obligo a la forma a permanecer en la piedra, mirándola fijamente y usando el control mental. Los círculos se mueven cada vez más rápido en direcciones opuestas mientras el fuego se intensifica. Mi voluntad se ha reducido a la partícula más diminuta del cosmos y me aferro a esa partícula; mi propio karma se verá afectado si fallo en este ritual. Algo viene por el camino. Percibimos que se acerca un grupo que está arrastrando a una chica que está drogada y desquiciada por el miedo. Sus ojos se mueven en su rostro como los de un perro rabioso. Veo cómo es succionada hacia el círculo como una niña impotente que se ahoga en un remolino. Salgo de mi cuerpo para entrar en su esencia para ver si está protegida y veo que sí lo está, porque tiene fortaleza. Todavía siento pavor y rabia por haber entregado mi voluntad, pero por la muchacha me mantengo rígidamente en mi sitio, llenando mi alma de coraje.

Esta ceremonia debe finalizar antes del solsticio. Ahora ha venido más gente, porque los círculos de fuego se han intensificado. Nos abrimos para dejar pasar a la muchacha con sus captores, que la están sosteniendo. La llevan hasta el centro del pentagrama, donde se pone rígida. Nosotros estamos mirando hacia afuera, pero la podemos ver al mismo tiempo, de la manera en que pueden ver las personas ciegas. La chica es delgada y alta, con un pelo rubio grueso y largo, y lleva puesta una túnica azul. Se convierte en la diosa Tierra, envuelta en una luz blanca azulada. El ojo en la forma gris aprieta mi roca y se agita como un animal salvaje. Me mantengo rígido mientras me agarra del cuello, y extraigo energía de mi aura para formar un escudo brillante y cristalino. Mi escudo es redondeado en el exterior, como un huevo, y el interior está revestido de formaciones hexagonales de cristal de amatista. Esa forma que quiere ahogarme no puede tocarme. La forma malvada se intensifica mientras mi escudo emite un sonido bajo y vibra con ondas de luz. No puede ahogarme, pero está intentando pasar a través de mí ¡y llegar hasta la muchacha! Me pongo más rígido mientras la cosa empuja contra mi pecho e intenta succionar el aire de mis pulmones. Una vara de energía en mi cuerpo prácticamente me obliga a retroceder, pero me mantengo en mi lugar. Los círculos de fuego vuelven a girar con más rapidez ¡mientras las piedras tiemblan y se mueven! Un murmullo continuo, de un tono profundo, emite ondas de luz y las cinco piedras resuenan con el murmullo que sincroniza con las ondas. Entonces la chica grita: un grito primario, agudo, sobrenatural, seguido de un gemido atroz que sale de las profundidades de su plexo solar. Las piedras emiten ondas de luz mientras los círculos se mueven con tanta rapidez que las antorchas crean un círculo de fuego visto desde arriba. Entonces el fuego se transmuta, convirtiéndose en una hermosa bóveda de luz que sale del círculo exterior y llega hasta un punto justo por encima de la cabeza de la chica. Ella grita otra vez para liberar la intensidad eléctrica que hay en su cuerpo. Es el sonido penetrante, inhumano, pero orgásmico del terror. Luego todo se disipa. La bóveda de luz se hace añicos, el resonar cesa y las densas formas grises se funden con la piedra como la niebla que desaparece cuando sale el sol. Nos damos la vuelta para dar un paso hacia la muchacha, que está con las palmas extendidas mirando al cielo, intentando alcanzar las estrellas. Está extática y radiante, como si hubiera recibido la carga de un rayo. Su largo y ondulado cabello cae sobre sus pechos, su túnica está atada en la cintura con un cinturón de cereal tejido, y ella baja las manos. Mueve las manos, rígida por la energía, pasándolas por encima de sus pechos y luego dejándolas caer a sus costados. Inclina la cabeza. Ha ganado esta victoria y nosotros la apoyamos. Las formas malévolas se han disipado ante su corazón valiente; este año, las almas han pasado con éxito.

La muchacha sale del centro y todos los círculos serpentean detrás de ella mientras entra en el centro mismo del Círculo de Avebury. Ella avanza por un túnel recortado en un seto vivo grande y entre en un laberinto hecho de antiguos setos. Mientras la seguimos, me siento mareado por la energía geomántica. Caminamos en espirales y en grandes círculos y, desde el cielo, el laberinto parece ser el estómago de una serpiente gigante en la tierra. Me siento abrumado por la energía mientras avanzamos y pasamos por la intersección en el centro. Nos movemos lentamente mientras pasamos alrededor de las curvas externas y avanzamos rápidamente por el medio. Estamos invirtiendo la energía al provocar una fuerza que fluye hacia atrás y conecta la Tierra con el cielo. Hacemos esto tres veces, lo cual nos libera de las almas que fueron liberadas. El laberinto es un disipador de energía que permite que las almas vayan hacia la luz. Salimos de él y volvemos a pasar por el centro y entramos otra vez en el círculo interno de piedras. La Luna está llena y brillante, y las piedras irradian una suave luz lunar.

Ocho sacerdotes entran en el centro y nosotros entramos en un estado de meditación para maximizar el poder del solsticio. Ahora, el día y la noche están equilibrados. Súbitamente, como una sílfide, una ilusión o una libélula iluminada por la Luna, la Diosa del Cereal inicia su danza en el círculo. Su vestido y su pelo fluyen en la brisa mientras su cuerpo se mueve con gracia entre las piedras en la antigua Danza de las Madres. Está creando una nueva energía en el círculo y la delicadeza es relajante. Llama a los ángeles y a los elementales para que entren en este espacio sagrado, y danza con ellos mientras se manifiestan en él. Ella vuela con ellos mientras nosotros anclamos la energía sutil manteniéndonos en nuestros sitios. Divinizamos a la Tierra mientras la Diosa baila con los espíritus. Todas las líneas de energía y los planos de convergencia se vuelven luminosos mientras ella baila entre las fuerzas de las líneas. Luego, ese momento exquisito desaparece y todos salimos del círculo para dormir juntos en el campo de al lado, bañados por la luz de la luna y rodeados de un gran bosque de robles centenarios.

3

El oráculo délfico y
la cueva mágica

El cuentista estableció su hogar en mí cuando yo tenía cuatro años. Ocurrió en un día de invierno, cuando el aire estaba fresco y húmedo, con una bruma cristalina que se elevaba por encima de la nieve bajo la luz del sol. Siempre había muchas voces y espíritus que bajaban por un largo sendero que estaba detrás de mi vieja casa de ladrillo, pasando entre los resplandecientes árboles negros sin hojas, hasta llegar al río congelado. La nieve era lo suficientemente profunda ese día como para ocultar las protuberancias de tierra, en las que muchas puntas de flechas y tiestos de los sauk sobresalían en el suelo. Los desmoronados cimientos cercanos de la tienda de venta de hielo y la herrería estaban cubiertos de una suave blancura. Los restos de tiempos pasados en los que los adultos ya no se fijan suelen vibrar con mucha fuerza para los niños pequeños.

Abriéndome paso a través de la nieve por un sendero que mi hermano había hecho, contuve la respiración y sentí que el corazón se me salía cuando mi pelota de fútbol hizo salir a un faisán de la maleza. Aunque yo temía al poder arrollador que sentía cada vez que me acercaba al río, continué caminando. Me acerqué para examinar bajo la nieve el lugar en el que había estado el faisán y mis pequeñas manos exploraron el interior de su pequeña y cuidada cueva hecha de hierba suave y de hojas. Al oír el sonido de sus alas en el aire, sentí la presencia de unos espíritus alrededor de mis hombros. Asombrada por su vida y sintiendo que su diminuto corazón todavía latía en mi pecho, desprendí las valiosas tortugas de jade engastadas en

oro que mi padrino suizo me había regalado y las coloqué cerca del
nido a modo de ofrenda a un poder invisible. Cuando regresé a casa,
me tuve que enfrentar a la ira de mi madre, de manera que más
tarde regresé para buscar mis tortugas de jade y recuperar mi regalo.
Pero ese día no las encontré. Regresé en varias ocasiones durante
ese invierno y durante los siete años siguientes volví varias veces a
buscarlas. Nunca las encontré, y ahora ya no hay gente viviendo en
ese lugar. Entretanto, mi primera ofrenda a la Diosa me permitió
acceder a una poderosa voz femenina en mi consciencia. En ese frío
día de invierno, cuando perdí mis tortugas de jade, Aspasia, vidente
y profeta que cabalgaba sobre los delfines en el Egeo, se convirtió en
mi guía femenina.

Soy alta, tengo un cuerpo grande con un tórax en forma de barril y
pechos pequeños. Mi cabellera de media melena tiene unos tirabuzo-
nes que son como racimos de uvas y en la cabeza llevo una pesada
cinta decorativa hecha de cobre y piedras semipreciosas. Mi cuello
es fuerte y grueso, y mi rostro es grande, con pómulos muy prominentes y una nariz larga, perfectamente recta. Soy el paradigma de la
belleza minoica. Llevo puestas unas tiras de cuentas de coral entre-
tejidas que siento frescas sobre mi cuello. Me he puesto menos ropa
de lo habitual: sólo un vestido diáfano con tirantes en los hombros.
Estoy de pie sobre unos grandes bloques de piedra, bajo una pérgola
de uvas sostenida por unos pilares de piedra. Mi mano descansa sobre uno de los pilares y estoy mirando hacia la ladera de una colina.
Hace calor y corre una brisa, y este pórtico sale de una escarpada
ladera en la isla de Tasos que mira al mar Egeo.

Me vuelvo hacia mi marido, Ahura, que está sentado a una mesa
redonda. Tiene el cabello muy oscuro, una barba corta y abundante
pelo oscuro en su pecho. Está sentado con una pierna cruzada encima
de la otra y las tiras de sus sandalias llegan hasta sus rodillas. Lleva
puesto un traje de cuero (una falda pequeña con un cinturón grueso),
y un ancho collar de cuero ribeteado con botones de metal cubre sus
hombros. Este es su traje militar, tosco y protector. Está diciéndome
algo importante mientras contempla abstraídamente el mar. Me dice:
«Es posible que perdamos la paz, Aspasia. Es posible que llegue gente

del oeste a nuestra ciudad, en barcos. Y todos los hombres están hablando de que Pelias ha enviado a Jasón y a los minianos en busca del Vellocino de Oro. Temo que haya una invasión».

Estamos en nuestra villa oculta, adonde vamos para estar solos. Aquí estamos seguros, aunque es un lugar muy remoto y silvestre. Estoy asombrada y enfadada. Nadie puede atacar nuestra ciudad. ¡Está prohibido! Nuestra ciudad es un oráculo, ¡un lugar de paz! Ni siquiera tenemos murallas protectoras. Si alguien atacara un oráculo, sería señal de un gran trastorno, de un gran caos en la Tierra. Mi oráculo conecta Delfos con Dodona hacia el oeste, y Araxes al final del mar Euxino hacia el este. Somos el vínculo entre Delfos y Dodona para la gente del este. Son muy distintos a nosotros, pero yo puedo comunicarme con ellos. Este oráculo es tan importante que me enviaron aquí después de recibir mi formación en Creta. Lleva aquí más de mil años, desde antes de lo que cualquiera podría recordar.

Soy la Diosa del oráculo, mi casa y mi trabajo. Me encargo de cualquier cosa que deba hacerse para la gente. En diferentes épocas del año, hay ciertas cosas que se tienen que hacer, como encender fuegos, traer aceite y ungir a las personas. Leo las estrellas y elijo los momentos favorables para dar la bienvenida a la gente. Entonces, ellas traen su nueva cosecha, las uvas y los cereales, los corderos recién nacidos y las aves, para nuestra bendición de la Diosa. Nuestro ritmo es muy, muy bonito, y nuestros rituales equilibran la Tierra. Nosotros somos los que escuchamos a los dioses y a la Diosa, que son muy difíciles de oír. Para celebrar la nueva creación y la belleza marcando las estaciones, encendemos lámparas de aceite en los diversos pilares que están delante del edificio, o ponemos estacas con trapos con aceite ardiendo. Los fuegos pueden verse desde los barcos o desde el bosque, y cuando son muy brillantes, la gente sabe que es el momento de venir al oráculo. El oráculo fue construido en la ladera de la montaña, cerca de la grieta donde escuchamos la voz del averno. Cuando la grieta está gimiendo y aparecen las emanaciones, encendemos los fuegos. Si los fuegos arden cuando la Tierra gime, no estaremos en peligro.

La Gran Madre se comunica con la nueva vida y las nuevas estaciones, y tenemos un festival para celebrar su presencia. El primer festival llega cuando la gente termina su trabajo en los campos. Cuando el dulce néctar de las uvas ha llegado a su punto más alto, como el sol pleno del mediodía, los sacerdotes y las sacerdotisas miden la plenitud orgiástica. Las vírgenes del templo y el dios de la Tierra fructifican en la Tierra juntos para dar poder a los lugares sagrados. Sobrecogidos por la fuerza sagrada, hombres y mujeres se reúnen para unir la Tierra y el cielo. Dionisio ríe mientras la gente come fruta, bebe vino y hace el amor en los campos. El segundo festival es el festival de la cosecha, que llega cuando los días se hacen más cortos, las noches más frías y los hogares esperan a los fuegos. Reuniéndonos en el centro del pueblo, recordamos el calor de las pasiones de nuestros cuerpos cuando la dulzura estaba en las uvas. Una canción lenta y triste empieza a sonar mientras los bailarines rascan huesos contra las calabazas y la gente trae fardos de cereal seco. Año tras año, cuando la luz mengua, alrededor del fuego volvemos a tejer y a conectar las redes de visitas a los dioses del cielo y los poderes invisibles de las grietas y las cuevas. El tercer festival es el paso de las almas al averno. En la oscuridad, las almas perdidas abarrotan nuestro pueblo y tratan de agarrarse a nuestras gargantas como hombres desesperados que se están ahogando. Algunas sienten culpa, como una madre que extingue la vida de su bebé para no perder a su amante ardiente. Nosotros somos los que nos quedamos aquí para sembrar, dar a luz y tejer, así que cuando el miasma de los que se han ido presiona contra los bordes de nuestros espacios, los convencemos suavemente: «¡Iros, iros ahora mismo!»

Cuando llega el cuarto festival, el cielo nocturno está frío, despejado, brillante y seco. Es el momento de viajar más allá del último lugar del alma hasta las estrellas donde somos seres de luz. Nadie habla de sus viajes cuando regresa. Todos sabemos quién se fue, pero nunca sabemos a dónde fue. Yo me fui en una ocasión, y aprendí a hablar y a escuchar con mis pensamientos. No tienes que decirme nada porque, en el lugar más tranquilo de mi corazón, ya sé de qué se trata. Durante el quinto festival, en primavera, la noche y el día son equivalentes. Es una época de equilibrio en el planeta, para que el ciclo eterno pueda volver a empezar. Todos los sacerdotes y las sacerdotisas desaparecen en lo más recóndito del interior de los templos para esperar a la llegada de las palomas de Delfos. Mientras el ámbar arde sobre el *ónfalos*[1] hasta el centro de la tierra, nuestras palomas mensajeras permanecen tranquilamente en sus jaulas de laurel mientras nosotros meditamos. Cuando sale el Sol del equinoccio, el aire se aviva y todos los insectos, las aves y los animales lo sienten. Las jaulas se abren y nuestras palomas vuelan hacia el este. En pocos días llegarán las palomas de Delfos. El ámbar ardiente se derrite formando un charco de resina y nosotros salimos fuera para estar con la gente, donde los bardos cuentan las historias del principio del mundo, la época de las inundaciones y los incendios.

El sexto festival es un festival de bendiciones, a finales de mayo. La gente presenta los frutos de las largas noches de invierno. Ofrecen a la Diosa sus historias, sus bebés, sus tejidos y sus matrimonios, pidiéndole que se una a sus corazones. Los regalos de las personas son divinos, como agua, viento, tierra y fuego. Luego, la gente se marcha a los campos a trabajar. El séptimo festival llega podo después, cuando el calor del sol es intenso. La siembra ha terminado y el Sol se detiene y comienza a alejarse. Como las semillas que revientan en las profundidades de la tierra y envían sus brotes a la superficie, las personas están en la cumbre de sus poderes. Celebran un gran festín mientras nosotros meditamos con las semillas en el templo y pedimos a los dioses que les den poder. Durante el octavo festival, el poder de las plantas inspira a las personas. Como el Sol, el órgano masculino estalla con fuerza y las mujeres se agitan en lo más profundo de su interior. Las madres son las diosas del hogar y sus hijas, vírgenes con ojos de endrina, salen buscando al dios en los hombres. Nosotros centramos toda esa energía en el templo en el momento adecuado, puesto que los dioses están muy ocupados y rara vez tienen tiempo para nosotros. Esta es una vida muy feliz y hermosa.

En una ocasión, oí la voz de la Diosa y un sentido de la magia renació en mi consciencia. Como ecos de aves que cantan en los acantilados, la Diosa me llamaba irresistiblemente. En la primavera de mi cuarto año, me convertí en una niña callada, que escuchaba voces

---

1 *Ónfalos* es el ombligo del mundo. *(N. de la T.)*

en el viento que susurraban: «*Vuelve, vuelve*». Contemplando el río Siginaw desde mi ventana, oía sonidos nuevos de un tiempo y un lugar distantes. Sin embargo, cuando se acercó otro tornado, la naturaleza se convirtió en fuente de un terror inexplicable para mí. El agitado cielo de color negro azulado me llevó a un vórtice de palpitaciones del corazón, de estremecimiento y transpiración. Me convertí una pequeña masa de terror silencioso, con los ojos abiertos de par en par, y me transformé en el tornado. Nadie podía comprender mi comportamiento. «*Es típico de los niños*», decían todos. Cuando el calor estival se intensificó, mi visión interior despertó. Dejé atrás esa casa de teléfonos que sonaban, de ruidos en la cocina, de radios y coches que tocaban la bocina al entrar, y regresé a los senderos en los bosques y al río al que tanto temía. No tenía miedo de los seres diminutos que había en casa de mi abuela, pero me aterrorizaban los enormes espíritus que se encontraban en los árboles viejos y las criaturas que estaban detrás de las rocas, cerca del río. Sin embargo, las voces me atraían: «*Vuelve, vuelve, vuelve*». Mi corazón latía con tanta fuerza en mi pecho que yo estaba segura de que haría explosión mientras corría entre los rostros maliciosos de los árboles y sus largos brazos y dedos extendidos hacia el cielo brillante de luna llena. El terror ascendió por mi garganta como ácido caliente y empecé a correr como una loca. Cuanto más rápido corría, como el temido tornado, mayor era el intenso miedo. Mientras me acercaba al río negro, me rasgué la ropa; luego subí gateando hasta una elevación que estaba cerca del muelle desmoronado que antiguamente se utilizaba para cortar bloques de hielo.

Pasé corriendo a toda velocidad a través de las enmarañadas parras que ahogaban el camino que se encontraba detrás del granero de un vecino. Esa fue la parte más aterradora, porque esos senderos eran utilizados por los vagabundos que iban al río. Cuando llegué al jardín que está detrás del convento católico, las oleadas de miedo cesaron. Mientras aflojaba el paso hasta casi quedarme quieta, unas ondas de luz fusionadas con sonido transportaban mi cuerpo, y las ondas de luz de energía danzante se fusionaban con los zumbidos pulsantes en mi cabeza. Ya no me encontraba en la Tierra tal como yo la conocía. Al mirar hacia un lado y ver un pre-

cipicio bajo de roca húmeda y raíces enmarañadas de árboles, sentí la presencia de los seres diminutos. Una vieja puerta verde de madera se manifestó delante de mí. Crucé el umbral y entré en la cueva del interior de la Tierra. Caminando lentamente para no perder el equilibrio, vi una intensa luz interior que iluminaba las paredes de la cueva. Esta luminescencia era como la luz que hay en los pantanos en el crepúsculo. Entonces, una visión apareció en la parte posterior de mis ojos, como el reflejo de unos focos en los ojos amarillos de un gato en la noche. El tiempo cesó por completo mientras se formulaba una visión. Toda la cueva, hasta el interior de la Tierra, estaba iluminada con millones de piedras preciosas resplandecientes, como si los pensamientos de los ángeles se hubieran materializado en la roca. Zafiros, rubíes, esmeraldas, cristales, amatistas y diamantes brillaban con una luz interior. A partir de ese momento, la visión de Aspasia fue mía otra vez. Corriendo a través del bosque en esa noche de luna llena, entré en mi cueva y encontré a la Diosa interior.

Yo soy Aspasia en el oráculo de Delfos, de pie en una escalera de tres metros y medio de ancho de piedra cortada y pulida, y hace un día frío, con brisa y ligeramente nublado. Estoy en un sitio elevado, en una tierra montañosa; a mi izquierda tengo una gran vista de montañas escabrosas, bosques y prados, y a mi derecha puedo ver el resplandeciente mar azul a lo lejos. De pie detrás de mí hay un pequeño grupo de personas muy importantes relacionadas con este lugar, y delante de mí hay una gran multitud de miles de personas. La escalera sube tres anchos escalones que conducen a una amplia avenida de piedra que mide aproximadamente 60 metros de largo. Las piedras sobre las que estoy de pie son muy antiguas y están gastadas, y nos encontramos delante de la avenida que conduce a la montaña sagrada, una ladera rocosa y escarpada que se eleva unos 450 metros.

Estoy de pie en el segundo peldaño, mirando a toda la gente. Me doy la media vuelta, entro en un trance y subo por los anchos escalones muy lentamente, elevando la energía a través de mi cuerpo. La energía está en mis pies y luego la hago ascender por mi cuerpo, inspirando las vibraciones de toda la gente, que se encuentra en un estado de expectación trascendente. Este momento tiene mucha importancia. Aún hay más personas que están llegando por unos caminos por los cuales es sumamente difícil transitar. Vienen de lugares muy distantes para hacer esta caminata sagrada porque por los templos ha corrido la voz sobre este momento y ha llegado hasta la gente. Yo llevo la energía de cada persona en la parte trasera de mis hombros, la hago ascender por mi nuca y entrar en la parte posterior de mi cabeza. Al mismo tiempo, estoy elevando la energía de la Tierra hasta la parte superior de mi pecho. Siento la energía como algo espeso y denso, y me electrifico. Siento una quemazón en mis manos, de modo que las levanto con las palmas abiertas hacia el oráculo en la montaña.

Mientras miro al oráculo, hay algunas personas importantes a cada lado de mí. Cuando me encontraba en los escalones, estaban detrás de mí, pero en cuanto me di la media vuelta se colocaron a mi lado. Estoy empezando a sentir la energía proveniente de la gente en mis hombros, lo cual hace que me sienta densa en la parte superior de mi cuerpo, mis hombros y mi nuca. Llega en oleadas, avanzando como latidos que corren a toda velocidad, y una parte de mí siente que se está convirtiendo en piedra, mientras que la otra está electrificada. Para evitar convertirme en piedra, o estar demasiado magnetizada y absorbente, coloco las palmas de las manos mirando hacia el oráculo. Acepto la energía de todas las personas y luego la descargo en el oráculo. Puesto que soy una sacerdotisa minoica, me han enseñado a recibir y dirigir energía como si fuera el primer cisne en una formación en V.

Ya había venido aquí antes para tener conversaciones con los guardias, pero es la primera vez que vengo para dirigir un ritual. Los rituales tienen lugar cuando es el momento adecuado para que venga la energía, lo cual está determinado por las estaciones y los planetas. Este oráculo es un manantial que proviene de las profundidades de la Tierra. Como astróloga-vidente, informé a los guardianes del oráculo de una configuración planetaria favorable. Ellos saben cuándo el oráculo tiene energía y se puede entrar en él fácilmente. Muchos han venido al oráculo hoy porque la gente del Egeo teme al futuro. Jasón ha partido en el viaje en busca del Vellocino de Oro, mientras el oráculo de Febo habla de acontecimientos similares a mi visión como vidente traciana.

En cuanto extiendo las manos para poder avanzar, dejo de sentir el peso de la pesada energía de la gente. Me siento energizada y ligera. Avanzo aproximadamente un metro y medio caminando, pisando deliberadamente y sintiéndome anclada en mis pies. Mi cabeza se levanta. Llego a un cierto punto y luego me detengo, porque ya no puedo sentir la energía. Mis guías vuelven a colocar las manos mirando hacia el oráculo y empiezan a caminar hacia adelante con los mismos pasos deliberados que tan bien conectan nuestros pies con la tierra. Siete personas caminamos hacia delante: tres guías a cada lado mío y yo. Se acercan a mí por detrás y colocan una capa sobre mis hombros. Es pesada, tiene una capucha y cubre todo mi cuerpo; su parte posterior roza la piedra mientras camino. El manto es viejo y tosco: tiene cientos de años de antigüedad; es de un color terroso, con un paño de un tono azul medio que cubre la mayoría de la parte delantera y con cinco estrellas doradas en el pecho. Cuando me lo ponen, siento seis manos sobre mis hombros y, en cuanto lo hacen, mi cuerpo se electrifica, lo cual no les sorprende. Tengo la extraña sensación de que quitan las manos lo más rápidamente posible, como si estuvieran tocando un cable eléctrico vivo.

Ah, esto es maravilloso. Siento que estoy vistiendo a la Tierra con este manto de una época pasada en la que su energía daba a la gente emanaciones y poder. El manto es de un bello color anaranjado y marrón: el mismo color siena de las piedras. La parte delantera de color azul, con las estrellas pintadas, es de la época de los cinco reyes gemelos de la Atlántida. La capa no obstaculiza mis manos, y sigo manteniéndolas mirando hacia el oráculo. Ahora, mientras continúo yo sola, la energía está en todo mi Ser, no sólo en la parte superior de mi cuerpo. La gente no me ve pero, de alguna manera, a través de los guías tienen una idea de lo que está ocurriendo. Las personas no experimentan con la vista lo que estoy haciendo. Son telepáticas en sus chakras del corazón: es como si tuvieran televisiones en sus pechos. De hecho, pueden verme caminando hacia adelante porque mis seis guías pueden transmitírselo. Soy consciente de que toda la gente lo está experimentando también. Cuando me acerco al oráculo, mis guías se quedan con la gente. Voy avanzando por etapas, pero no puedo pasar de una a otra hasta que los guías conectan a las personas con lo que estoy haciendo. Percibo el momento exacto en que esto sucede. Luego recibo el primer poder del oráculo; esta fuerza concentrada me acerca más mientras traigo a los planetas conmigo.

Cuando estoy en la Tierra, mi cuerpo es la Tierra, que es plana y está rodeada de un «cuenco de cielo» lleno de estrellas. Mientras avanzo, soy la Tierra en la coronilla de mi cabeza, la cual sostiene a la estructura de los planetas, las estrellas, los universos y las galaxias. Estoy llevando al universo circular al oráculo, ya que mi cuerpo es la Tierra. Llevo conmigo todo el sistema solar en la coronilla de mi cabeza como una percepción visual de la ubicación de las estrellas y los planetas. En otras palabras, mi herramienta para llevar la ubicación astrológica al oráculo es la astrología egocéntrica, pero yo existo en un universo heliocéntrico. Únicamente las personas que entienden cómo usar la energía de este modo puede practicar la astrología. Los sacerdotes del templo eligen e inician a los neófitos para que se conviertan en astrólogos que vivan simultáneamente en la Tierra y en el cielo. En el plano terrestre, todo el cosmos se vive como un drama, y únicamente mediante un análisis geocéntrico podemos leer el drama para los humanos. Sabemos que la Tierra gira alrededor del Sol en relación a todos los demás planetas, pero la lectura del drama en esta época se hace desde la Tierra. El gran misterio es que la Tierra es el lugar de la consciencia de este sistema solar y de la galaxia de la Vía Láctea.

Todavía tengo que avanzar cuarenta y cinco metros más, ya que sólo he recorrido nueve. Sin embargo, en los primeros seis metros organicé en mi mente la ubicación de las cosas de la Tierra y el Sol, y ahora llego a un punto de transición, a una dicotomía. Tengo miedo de caminar, porque ahora debo llegar al otro lado. Puesto que llevo estas estructuras, la energía permanece conmigo. Pero, para llevarlas al otro lado debo dejarme llevar por la energía; es la única manera de llegar hasta ahí. Cada paso es sumamente difícil y significativo porque todo el planeta está conmigo. Mi voluntad intenta entrometerse, de modo que me suelto y dejo que entre la luz. ¡Unos intensos rayos de luz llenan todo el cielo con una energía radiante de arco iris! Estoy feliz de volver a ver esa bella luz. Mientras camino, detrás de la montaña todo el cielo está lleno de cristales relucientes. Es increíble. Cada paso que doy intensifica la luz y la energía eléctrica. Continúo caminando porque la energía está formando un túnel de luz pulsante, atrayéndome hacia el oráculo.

Entraré en el túnel de luz sin miedo. El aire es turbulento fuera del túnel, donde las pulsaciones de luz producen un sonido zumbante; aquí, el sonido y la luz tienen la misma longitud de onda. Quiero sentir esta energía, pero si lo hago me destruirá. Esta energía proviene de fuerzas superiores, y si me detengo seré pulverizada, del mismo modo que Perséfone se hubiera destruido si hubiese mirado atrás cuando caía por el túnel. Esta es la clave. Ahora veo por qué mi formación en Creta fue tan rigurosa, ya que es aquí donde falla la mayoría de sacerdotisas. Perséfone se estaba alejando de la luz y estaba siendo atraída hacia la Tierra, y si miraba hacia atrás, siquiera una sola vez, se quedaría en el inframundo para siempre. De modo que soy muy consciente de que si miro hacia atrás y no avanzo seré destruida.

Estoy llegando al punto de transición. Lo que hay al otro lado exige una rendición total. Pero cuando llego al punto máximo, el último punto en el que las fuerzas del mal pueden detenerme, la seducción murmurante, la hermosa onda fusionada de luz y sonido es de lo más atractiva. Realmente quiero parar y experimentarla. La seducción, la atracción del murmullo, está a mi alrededor, y el túnel por el que se supone que debo pasar está hecho de la misma fuerza. Si avanzo y no miro atrás, entonces el murmullo y la vibración de la luz no podrán destruirme. Ya casi estoy preparada para pasar por el túnel. Estoy caminando firmemente. Si no continúo avanzando, entonces el túnel y la protección, la bóveda, serán destruidos. Entonces, todas esas fuerzas vendrán a destruirme. Estoy llegando al punto máximo del murmullo y la pulsación, que está presionando contra la bóveda. En la bóveda está la presión más intensa posible: es como estar dentro del iris de un ojo. El túnel abovedado conduce hasta el oráculo. Con cada paso que doy para acercarme a él, la fuerza de vibraciones y luz en el exterior está empujando y pulsando cada vez con más fuerza. Me recuerda la transición en el trabajo del parto, antes del nacimiento.

Estoy llegando al punto en el que voy a atravesar la barrera y tomo conciencia de mis seis guías, que ahora me están ayudando. La forma de la bóveda es redonda, como la mitad de un limón: la forma ideal para impedir que las fuerzas del mal entren para destruir la luz. Ah, estas fuerzas se disfrazan de energía de fusión de luz y sonido, pero son fuerzas astrales bajas. Los guías se manifiestan, tres a cada lado mío. Esto me confunde porque todavía están ahí lejos, pero trabajan en el plano causal. Se quitan la túnica y también me quitan a mí la ropa. Me pregunto si esto me gusta o no. No importa si me gusta o no. Estoy desnuda y tiemblo. Delante de mí hay un campo de fuerza en el punto de paso que parece ser una pared de vidrio de un tono gris negro, de unos veinte centímetros de grosor. Me ponen otra capa. Va sobre mis hombros, y luego cae por detrás. A excepción de esto, estoy desnuda. Y han hecho esto porque no he mirado atrás. Hasta ahora no sabían si miraría atrás o no, ni yo tampoco. Lo que siento ahora es una gran alegría, un sentimiento de celebración, proveniente de todas las personas y de todos los dioses, porque no miré atrás.

Ahora la barrera ha desaparecido y doy un paso hacia delante. La barrera no es nada, ¡es como si yo la hubiera creado en mi propia mente por el miedo! La luz astral y el murmullo cesan, y todo en el plano físico está como estaba antes de que esa energía de luz de arco iris se manifestara. Todavía tengo que caminar entre siete y nueve metros para llegar al oráculo. Estoy empezando a verlo; parece un gran nicho, una gran talla o altar en la roca, aunque todavía no puedo verlo con claridad. Ahora estoy caminando entre dos hileras de columnas de seis metros de altura. Mientras avanzo, me siento muy regia. Camino hacia el oráculo. Hay una faja ancha y una arcada hecha de una piedra toba liviana y porosa, que es tosca y arcaica, probablemente griega temprana. Me detengo delante del oráculo, me pongo de rodillas, coloco las manos delante de mi corazón, e inclino la cabeza. Luego pongo las manos una a cada lado de la faja. Hay un lugar para mis manos, y me levanto. ¡No puedo pasar! Dentro hay un refugio de roca roja alrededor de un agujero que lleva al centro de la Tierra. Puedo oír los sonidos de la Tierra que provienen de ese hueco. Quiero poner mi oído en el agujero, de modo que pongo mi cuerpo de lado, me arrodillo e inclino los hombros. Coloco la oreja derecha lo más cerca posible al agujero, pero no puedo ponerla dentro porque la faja que está delante de él está dentro de la piedra roja. Ya sé que el agujero conecta con el antiguo río subterráneo que pasa por Arcadia y debajo de Dodona. El muro de piedra alrededor del agujero tiene unos noventa centímetros de altura y la faja que se interpone en mi camino mide unos dos metros y medio. Aún así, me inclino de la manera adecuada para conseguir que mi oreja esté cerca del agujero, pero no puedo revelar lo que escucho: es uno de los secretos.

Una voz resuena en las profundidades de mi consciencia y dice: «Ciertamente, estas cosas están cuidadosamente protegidas, pero puedes contármelo, porque ya lo sé». Escucho en mi oído interior: «La historia es la de las eras. Antes de esta era hubo otra, y antes de ella hubo otra. Ahora es la época en la que tenemos que poder obtener la visión, para poder hablar a la gente sobre el final de esta era, la Tercera Era». El sonido hace eco como si estuviera atravesando todo el cosmos, pasando por el iris y entrando en el laberinto del canal del oído. Obtengo la visión de que el final de la era se produce debido a la desarmonía y porque se han alterado los equilibrios kármicos. El sonido vuelve a hacer eco otra vez.

«Los humanos han estado muy confundidos respecto a si lo que ocurre es por su culpa o no, y la gente sabe que ahora las vibraciones están alteradas. Últimamente el clima ha sido extremo y muchas personas tienen enfermedades extrañas. Los seres en otros planetas también saben que las vibraciones están alteradas. La culpa no es el tema. El tema es la responsabilidad, en el sentido de que todos los humanos tienen la responsabilidad de elevar el nivel de vibración lo máximo posible. Deben encontrar su propio karma elevando su consciencia espiritual para que dejen de temer a la muerte. Si no pueden hacerlo, no es su culpa. El karma sólo es un problema en el plano humano, el cual incluye la perfección en el plano emocional. Los cambios terrestres funcionan en el plano causal y los humanos están muy confundidos por esta diferencia. Los pocos que desarrollan su consciencia más allá del espacio físico y el tiempo lineal están libres de este ciclo. Saturno rige el plano causal y Venus rige el plano humano, el plano emocional. Hay una diferencia entre el nivel kármico humano y el nivel de vibración causal de todo el cosmos.»

Manteniendo la oreja cerca del agujero que conduce al centro de la Tierra, veo y escucho una visión del fin del mundo. El oráculo me dice que tengo que hablar de mi visión a la gente. Hay que dar a ciertas personas la oportunidad fundamental de sobrevivir, ya sea física o psíquicamente. Si mueren físicamente, podrán reencarnarse con un conocimiento causal. A continuación recibo algunas malas noticias. Se me dice que después de esta vida caeré y experimentaré una serie de vidas sin incidencias notables, con poca consciencia. Cuando una era acaba y empieza otra nueva, algunas personas que se encarnan durante la siguiente era tienen que vivir el crecimiento a partir de la nada. Tienen que reexperimentar el plano humano, la evolución. Esto es muy duro para ellas porque el alma en las personas percibe, y en algunas ocasiones descubre, como me ocurre a mí, que esta es la historia de las eras. La realidad superior existe en las profundidades de la memoria humana, mientras que el plano terrestre cae cuando pasa por ciclos de cataclismos. Estoy muy intranquila y triste al darme cuenta de que caeré. ¿Quién quiere caer? Pero se me da un regalo muy especial. Se me dice que no estoy sola, que siempre tendré conmigo a mi hija, Dacia, de una forma u otra. En otras palabras, mientras yo experimente la caída, ella estará conmigo. Cuando oigo hablar del cataclismo que vendrá, sólo pienso en ella.

A continuación, una barrera de niebla gris cubre el agujero. No lo veo, simplemente sé, y la gente que está fuera también sabe. Me pongo de pie y camino retrocediendo, puesto que no quiero que los guías o las personas vean mi desnudez desde delante. Esto no es modestia: la verdadera desnudez sólo debería ser vista por las fuerzas superiores. Camino hacia atrás unos cuatro o cinco pasos. Mis guías vuelven a estar detrás de mí; me quitan la capa y vuelven a ponerme la otra capa. Siento una gran emoción, una felicidad comunal con ellos. No lo demostramos porque todas las personas avanzan por los lados y subiendo a las rocas. Una vez que el ritual sagrado ha terminado, pueden subir por todo el lugar. Realmente quiero hablar con mis guías sobre esta experiencia, pero todavía estamos en la ceremonia, con toda la gente subiendo. Ellos permanecen ahí conmigo: estamos los siete en una formación cóncava.

A mi derecha está Lucía, una neófita en mi templo. Es un gran honor para ella estar ahí conmigo durante esta ceremonia. Es joven e inexperta, y no entiende mucho, pero sabe lo que tiene que hacer. Ella es la suplente de Dacia, que tiene doce años. Lucía dará esta información a Dacia. Dionisio está a mi izquierda. Él es mi guardia, muy moreno, rudo y peludo. Y está iluminado. Otras dos personas del Oráculo de Delfos se encuentran a cada lado de mi gente, que viste una túnica de algodón de color borgoña con un cordón dorado alrededor de la cintura. Lucía lleva puesto un vestido blanco y Dionisio lleva una túnica blanca con cuero alrededor de la cintura, que cae hasta sus rodillas, y sandalias. Realmente lo hemos hecho bien. Fui llamada a Lycoreia porque a todos los Guardianes de los Oráculos de los reyes minoicos del mar les hablaron de la visión que tuve hace tres semanas en mi templo en Tasos. Justo después de mi visión, los manantiales en Melos, Delfos y Dodona se secaron. Sabemos cuál es el significado de esas señales porque nuestros cuentistas cantan con la cítara y hablan de tiempos remotos. Sólo deseamos conocer la voluntad de los dioses y no volver a temer al futuro jamás.

Cuando reintegré a Aspasia en mi consciencia durante mi más temprana infancia, se activaron muchas sensaciones agudas. La realidad en la que nací era muy anodina. Todo el mundo parecía estar dedicado a vivir una vida «normal», que estuviera de acuerdo con el plan: los Estados Unidos post-Segunda Guerra Mundial. Entretanto, la voz de Aspasia dentro de mí hacía que todo ello fuera imposible. Yo era una niñita salvaje que hacía enfadar a prácticamente todo el mundo; realmente, no había ninguna esperanza para mí. ¡Si tan sólo hubieran comprendido cuánto me esforzaba por complacerles! Pero yo no encajaba, me encontraba en el lugar equivocado y sentía como si me hubiera caído de un árbol en medio de sus vidas perfectas. Este dilema era algo serio. Durante las mañanas de otoño, yo solía oír las llamadas de los gansos, las grullas y los cisnes que migraban. Cuando las oía, me detenía para escuchar sus men-

sajes y observar su vuelo. Entretanto, mi padre estaba en su escondite, ¡intentando matar pájaros con su escopeta!

Yo intentaba manifestar el comportamiento que se esperaba de mí, mientras me iba desintegrando por dentro. Entonces ocurrió algo extraordinario. Como si hubiera comprendido intuitivamente que estaba atrapada en la rueda del karma sin escapatoria, las ruedas de los trenes se convirtieron en mi fascinación. Hipnotizada por las ruedas que daban vueltas y vueltas, cuando tenía cinco años empecé a tenerle mucho miedo a la muerte. Prácticamente todos los días pensaba que ocurriría una catástrofe: la casa se incendiaría, los fantasmas que había en mi armario y debajo de mi cama saldrían y me llevarían, o caería en el río y sería arrastrada hasta las profundidades. Un día, durante un descanso, estuve observando las ruedas de un tren de mercancías que giraban lentamente mientras el tren avanzaba por las vías que pasaban por detrás de mi escuela. Creía que nadie me estaba viendo acercarme al tren que llegaba. Como atraída hacia una irresistible solución que casi conocía mejor que la vida misma, me arrojé delante de las ruedas chirriantes mientras miraba hacia arriba y veía el gigantesco monstruo negro de metal. Algo se rompió dentro de mí cuando me di cuenta de que mi madre estaba al otro lado de las vías, con las manos extendidas. Me arrastré con las rodillas y los pies, agarrándome a un riel de metal, y me impulsé hacia adelante, por encima de las vías, mientras el tren golpeaba contra mis nalgas. Después de aquello, dejé de buscar el poder en las cuevas y en los bosques, y empecé a escuchar a los adultos y sus palabras de advertencia.

4

La violación de Lidia
y el laberinto

La conciencia de mi poder interior llegó demasiado pronto. Lanzada hacia el tiempo esférico a la edad de cinco años, no podría encontrarme a mí misma en mi realidad de preescolar. Me pasé el año caminando sonámbula por las noches y deambulando perdida durante unos días en los que acababa sentada debajo de los árboles, esperando a que el cielo se cayera. Mi cuento favorito era «Chicken Little». A menudo me encontraban paseando sonámbula en medio de la noche, como si hubiera perdido todo sentido del tiempo y el lugar. Cuando finalmente me orienté plenamente en el tiempo presente, el dolor de la vida de Lidia inundó mi consciencia. Esto ocurrió porque los que habían sido mi padre y mi hermano en la vida de Lidia eran el mismo padre y el mismo hermano en mi vida como Barbara.

Llevo puesto un manto azul que cubre mi rostro. Estoy en el exterior. La gente que está detrás de mí me habla en voz alta, pero susurra mi nombre: Lidia, Lidia. Tengo veintidós años y soy una mujer que está perdida. Me marcho porque me molestan y hacen que me sienta mal. Camino por el sendero que conduce a una zona en la que la gente vive en unas casuchas de adobe en las que hay un único espacio de tres metros por tres metros y medio con puertas de madera en la parte delantera y ventanas muy pequeñas. Hay muchísimos animales de granja y los suelos dentro de las casas están hechos de paja. Esto tiene lugar alrededor del año 700 d. C. y estoy entrando en la ciudad de las calles estrechas. Las construcciones de adobe tienen dos o tres pisos de altura, y los pisos superiores sobresalen. Aquí puedo ir a donde yo quiera. Puedo ir a donde yo quiera, siempre y cuando no me interponga en el camino de alguien. Las mujeres casadas no pueden hacerlo y, si lo hacen, acaban como yo. Soy una prostituta. No tengo familia, no tengo padres. Soy como un perro callejero; tengo que cuidar de mí. Llevo puesta una gran pieza de tela azul sobre los hombros y la cabeza, que cubre mi cabello. El momento más bonito de la jornada es cuando es de día, cuando puedo caminar hasta el arroyo, a menos que me encuentre en el camino de alguien. Ahora tengo que ir a trabajar. Es lo que tengo que hacer, pero no me gusta nada. Al menos, cuando camino por estas calles puedo hacer lo que quiera, aunque la gente hable de mí.

Me detengo y entro en una tienda para comprar pan y queso. El queso es una bola del tamaño de mi puño y el pan, grueso y pesado, es esférico y plano en la base. Lo pago con una moneda redonda de cobre del tamaño de mi pulgar, y en ella está la cabeza de una persona, además de las letras «X» e «I». Mi ciudad es Lastra, en Asiria, por encima del río Leteo. Como un poco de mi pan y queso, y luego dejo el resto en una bolsa de arpillera que llevo debajo de mi manto tosco, caluroso y áspero. Tengo que estar completamente cubierta y no puedo mostrar mi rostro de piel blanca, porque soy una paria. Como mi pan y queso rápidamente, antes de que me echen de la tienda.

Mientras camino otra vez por la calle, con los pies completamente descalzos y el pelo enmarañado y sucio, me siento muy desdichada. Abro una puerta de madera y paso por una habitación delantera vacía para luego subir por un tramo de escalera estrecho que conduce a un pasillo. Aunque las aberturas de las ventanas son pequeñas, aquí dentro está iluminado porque el sol en el exterior es cegador. Avanzo por el pasillo y entro en mi pequeña habitación. Hay una pequeña cama de madera, del tamaño de una camita de niño, con un colchón tejido, y hay una silla sencilla de madera. Al mirar por la ventana veo los techos de teja roja de las otras casas. Dejo el manto azul sobre la cama y me pongo un vestido blanco sencillo que me llega hasta las rodillas, con una cuerda atada alrededor de la cintura. Tengo las piernas peludas y mi cuerpo es robusto, con grandes pechos. Cojo el pan y el queso y avanzo por otro pasillo lleno de puertas hasta la parte posterior del edificio, para entrar en el patio trasero. Las otras chicas están ahí. Charlamos y nos pasamos el pan, el queso y la fruta. Todas llevamos ropa suelta, porque hace calor. Hablamos de nuestras familias y de nuestros hijos, y no mencionamos lo que tenemos que hacer a continuación. Un hombre gordo que viste una túnica gris entra en el patio y tenemos que irnos con él. Es grandote, tiene unos cincuenta años y un cabello gris grasiento.

Este hombre nos controla, de modo que seis o siete de nosotras caminamos por la calle con él y todas llevamos puestos nuestros mantos otra vez. Él nos va dejando a cada una en una casa distinta. Se detiene frente a una puerta, hace sonar una campana aguda que está en una cuerda y abre la puerta. Entro. Cierra la puerta y se va. Dentro me espera un hombre obeso, borracho y maloliente. Me obliga a beber un vino amargo, que no quiero. En la casa hay unos muebles cubiertos con telas y el suelo es de piedra. Obligándome a beber más vino, el hombre se quita su túnica de color borgoña y luego me quita el manto y me mira de arriba abajo. Yo no digo nada. A continuación, me coloca en una pequeña cama reclinable, me acuesta, me separa las piernas a la fuerza e introduce su carne gruesa con violencia. Gruñe como un cerdo y suda, y no tarda mucho en acabar. No siento nada. Estoy disociada de mi cuerpo y no sé cuándo aprendí eso. Simplemente quiero que acabe lo antes posible. No tengo elección.

En lo único en que pienso es en el dinero. El hombre saca tres monedas de su bolsillo y las pone bruscamente en mi mano extendida. Dos de ellas son aproximadamente del mismo tamaño que la moneda de cobre con la que compré el pan y el queso. Coloco una en un pequeño bolsillo que he cosido por dentro y el resto en el bolsillo normal. Se supone que tenemos que entregar todo el dinero al hombre que nos vino a buscar, pero todas nos quedamos algo. Tengo que hacerlo, de lo contrario pasaría hambre. Soy un artículo de consumo, eso es todo. Siento energía en la mano en la que el hombre puso el dinero. Mientras camino de regreso, tengo el pecho cargado y me siento realmente desdichada y triste. No hay vida en el resto de mi cuerpo. No tengo sentimientos. Simplemente tengo que hacer esto. Pero hay otra parte de mí que tiene muchísimos sentimientos.

Recuerdo lo que provocó todo esto. Yo tenía trece o catorce años. Me encontraba en un callejón detrás de una casa con mi hermano, que es menor que yo. De repente, unos cuerpos corrieron y me cogieron. Mi hermano intentó ayudarme, pero no pudo hacer nada porque eran tres. Me tiraron al suelo y me arrancaron la ropa de la cintura para abajo mientras cubrían mi rostro para que no pudiera ver. Mi hermano gritaba y tiraba de ellos, de modo que ellos gruñeron y le pegaron con fuerza. Uno de ellos lo apartó mientras que los otros dos separaban mis piernas violentamente. El dolor, el dolor era insoportable. Estaba tan furiosa que no pude desmayarme. Tuve que sentirlo todo, pero esa fue la última vez que lo sentí. Más tarde, llegué arrastrándome a mi casa. Mi madre estaba muy triste, ¡pero mi padre estaba enfadado conmigo! Mi hermano y yo habíamos ido a un lugar al que se suponía que no debíamos ir. Él estaba aterrorizado por lo que le iban a hacer. Más tarde, mi madre me lavó lentamente. Estaba muy triste. Y ese es el fin, el fin. Mi padre estaba furioso conmigo.

Fue en el año 700 d. C. cuando en mi cuerpo se quedó grabada la idea de que el padre de una mujer decide lo que le va a ocurrir a ella. Las mujeres pueden trabajar duro y mejorar su situación, pero a la larga, el factor controlador son los hombres. Cuando tenía cinco años empecé a estar cada vez más melancólica. La vida me parecía opresiva, pero otras voces interiores empezaron a hacerse audibles. Durante esos primeros años, Psique examinó lo más profundo de mi mente inconsciente y me mostraba la salida cuando yo estaba sonámbula. Yo caminaba por los pasillos, las escaleras y las habitaciones de nuestra gran casa y jamás me tropezaba con nada. Habiendo nacido otra vez en una sociedad patriarcal, la salida consistía en despertar la iluminación interior que Aspasia de Creta activaba en el laberinto.

El laberinto... el laberinto... El ritual diseñado para destruir el miedo. Primero, permíteme que te explique lo que me enseñaron en el Templo acerca del laberinto. Estaba completamente oscuro, y sólo el sentido del tacto y los sentidos interiores podían hacer que uno pudiera pasar por ahí. Se decía que el Minotauro estaba en el centro para asegurarse de que únicamente los iniciados serios intentarían realizar este viaje. Los sacerdotes estaban en el laberinto emitiendo gruñidos mientras pasaban y nos tocaban con partes de animales o sostenían cerca de nuestros rostros unas máscaras aterradoras iluminadas. Había un toro que se encontraba encerrado en una parte del laberinto y que debía ser sacrificado durante los festivales de la primavera. Lo mantenían en la oscuridad y lo alimentaban, y los gruñidos y bufidos que emitía provocaban el miedo en los potenciales iniciados.

La finalidad de pasar por el laberinto era superar el miedo, porque el miedo es el destructor del conocimiento intuitivo. Solamente la intuición puede guiar con la luz interior. El laberinto de Knossos estaba ligado a un determinado punto de coordinación poderoso en la zona, que era un mapa psíquico que el iniciado podía usar durante los estados de consciencia alterados. Estos mapas proporcionaban puntos de resonancia, liberación y desviación.

Este laberinto era un mapa de los puntos de coordinación en Creta, y para abrirme al mapa me vi obligada a desarrollar la capacidad de liberarme del miedo. Con la percepción correcta, no tuve problemas para encontrar la salida del laberinto, mientras que la privación del uso de mis sentidos físicos enfatizaba la importancia de desarrollar la intuición. Pasé por el laberinto en mi segundo viaje. Esta fue una experiencia especialmente interesante para los que me estaban evaluando, porque demostré que tenía poderes que ellos todavía no me habían enseñado. Iluminé mi mente, lo cual me permitió ver el camino a través de los pasillos. Esta no era una luz per se, como la luz de una antorcha, sino que yo, accediendo al mapa de los puntos de coordinación, creé una iluminación interior que me permitió ver en la más absoluta oscuridad. Los sacerdotes que estaban intentando asustarme, fueron sorprendidos súbitamente al ser iluminados por una luz más potente que la de las antorchas que llevaban para iluminar sus máscaras terroríficas. Como apuntó Circe cuando Medea posó su mirada en ella: «Porque todos los hijos del Sol eran fáciles de reconocer, incluso desde la distancia, por sus ojos destellantes, que lanzaban rayos de luz dorada».

Cuando tenía seis años y estaba en primer grado, voces interiores de vidas pasadas resonaban dentro de mis experiencias sociales, y esto es algo que ocurre siempre. Es por este motivo que cada uno de los niños de una familia es tan diferente a los demás. Yo sentía una gran división en mi percepción. Las voces internas que guiaban mis experiencias en la vida cotidiana parecían ser un lado de mí, mientras que las voces que respondían a la naturaleza eran otro lado. La dama victoriana, Lidia, el romano y Erastus Hummel influían en mi manera de ver la vida que había a mi alrededor cuando yo era una niña que crecía en los años cuarenta y cincuenta en Michigan. Aspasia, Ichor y el druida eran la fuente de las reacciones interiores intensas a las voces de los nativos norteamericanos del valle de Saginaw y los ricos pantanos y las aguas profundas de la bahía de Saginaw. La isla que está en el río que se encuentra detrás de la casa de mi infancia, la isla de Ojibway, era un lugar sagrado de los sauk que fue venerado por el pueblo sauk posterior. El lugar en el que se encontraba el gran roble blanco de los sauk era delante de una iglesia católica cerca de mi casa. Cuando el hombre blanco llegó a este valle a principios del siglo diecinueve, el gran roble blanco ya tenía más de quinientos años de antigüedad. Cada primavera, los sauk esperaban el regreso de gran búho blanco que se posaba en el árbol durante el caluroso verano. En otoño, cuando era el momento de hacer pasar las almas de los sauk, el gran búho blanco volaba sobre el lago Hurón con sus enormes alas y pasaba a las almas al interior de las grandes aguas profundas.

Hacia 1800, los indios ojibway y pottawatomie ya habían olvidado el motivo del vuelo del búho, pero todavía veneraban al gran roble blanco. Cuando el hombre blanco llegó y observó esta vieja obsesión pagana por un árbol que estaba ubicado en la mejor parte del pueblo, lo talaron. A los sacerdotes les disgustaba todavía más el gran árbol, así que construyeron la iglesia católica encima de su tocón podrido. Ahora, cuando el búho regresa para llevarse las almas de la gente, ya no tiene dónde pasar la noche, y todo el valle está lleno de fantasmas. Si transcurre demasiado tiempo y las almas no son trasladadas desde los vivos, los niños que han sido *formados en la gran sabiduría del pasado regresarán para traer las enseñanzas del gran búho blanco.*

En ocasiones sentía que Lidia, Erastus y la dama victoriana vivían en la casa, mientras que los iniciados de la antigüedad vivían conmigo en la naturaleza. Por la noche, mi cerebro buscaba experiencias del pasado que pudieran ayudarme a encajar mejor con mi realidad ordinaria. A la dama victoriana le encantaba estar en la iglesia, de modo que, a los seis años empecé a introducirme a hurtadillas en la iglesia católica que estaba a dos casas de distancia de mi hogar. Temprano por la mañana, me arrodillaba en el banco cercano al altar principal y olía el dulce incienso. Una deliciosa y húmeda mañana de verano, me quedé mirando fijamente la lámpara roja del sagrario y me encontré caminando en una elevada ladera cubierta de hierba en el sur de San Francisco.

Tengo veintiún años. Hace un día soleado, la hierba está alta y dorada, y percibo el océano que golpea en el oeste. Tengo el pelo largo, de color castaño claro y sedoso, y lo llevo recogido en la parte superior de la cabeza. Llevo puesto un vestido veraniego de jardín, estilo «Gibson Girl», con cuello alto y un pendiente con un gran rubí montado en unas perlas. Soy encantadora. Estoy caminando por un sendero en las colinas y el viento hace ondear mi larga falda. Soy alta, elegante y fuerte, y ando a pasos largos. Tengo unas cejas prominentes que son ligeramente más oscuras que mi cabello, la piel blanca translúcida y los ojos garzos. Mi boca es suave y ligeramente inclinada hacia abajo. El sendero que pasa por la larga hierba amarilla es estrecho, y mis zapatos de piel de becerro me quedan apretados porque eso está de moda. Mi libertad es el viento y la naturaleza.

Esta es una imagen capturada –como una foto de una época anterior a la aparición de la fotografía– de la dama victoriana cuando era joven. Poco después de esto, yo misma renuncié a ella.

Estoy sentada en el soleado salón delantero de mi casa. Tiene una gran ventana saprediza. Las tablas del suelo son de pino de un tono suave, el artesonado de madera está hecho de secoya pesada tallada y la habitación está llena de muebles victorianos, alfombras orientales y objetos antiguos. No veo todo el desorden. Veo la luz del sol que entra por la ventana y cae en el suelo junto a mi mecedora. Estoy ligeramente recostada hacia atrás, con una pierna cruzada sobre la otra y mirando por la ventana con una expresión facial fija. En realidad estoy intentando ignorar a mi tía, que me está hablando. Mientras me habla, el fantasma de mi madre muerta está flotando en la esquina, cerca del techo. En aquella época no podía ver a mi madre. Tal vez, si hubiera podido hacerlo, habría ganado contra mi tía. ¡Ojalá su voz simplemente desapareciera!

«Lo harás. No puedes cambiar de idea ahora, porque dijiste que lo harías. Todos los planes ya están hechos. Te casarás con él, tal como lo prometiste.»

Me presionaron para que lo hiciera y accedí a hacerlo, pero en realidad nunca lo quise, de modo que me negué a ir a la iglesia. Es una situación realmente extraña, porque habían organizado una gran boda de sociedad. Ahora, a mi tía no le importa si organizamos otra boda como Dios manda ¡o si me fugo y me caso con él esta noche! Mi tía le tiene miedo a mi energía. La familia de él es sumamente rica y hay una ventaja económica. No obstante, yo me considero mejor que él, ¡y ella también cree que lo soy! Ese hombre no me gusta como persona, en absoluto. Es rígido e insensible. No es para nada mi ideal romántico, ya que los hombres en mi familia son aventureros y muy divertidos.

Cuando tomo la decisión, estoy en la iglesia católica, arrodillada en un banco, mirando al altar y oliendo el incienso. La iglesia tiene unos vitrales muy bonitos y unas resplandecientes paredes de madera; es una iglesia realmente antigua con una sensación de rituales profundos. Hay algo en mí que no encaja en la iglesia, pero este es el único lugar en el que siento el pasado, siento las conexiones con cosas secretas, intensas y que vuelven a mí. Estoy aquí porque creo que el verdadero significado y la verdad de la vida están aquí. Mientras estoy aquí hoy, en mi corazón, en mi espíritu, casi me rebelo. Sin embargo, he decidido casarme con él porque es un católico muy estricto. Yo soy una conversa. Mi hermana y yo nos convertimos cuando yo tenía dieciséis años porque mi tía es católica. Mientras rezo en la iglesia, decidiendo casarme con él, siento que una puerta se cierra dentro de mí. Pero he sido absolutamente condicionada para ignorar mis propios sentimientos. En mi cuerpo, siento esta sensación opresora en toda la cabeza, una constricción en la parte posterior y una pesadez en los hombros. Esto quiere decir que me tendré que ir de California, porque él es de Chicago. No me gusta Chicago en absoluto. Es frío y lúgubre, pero es donde está su familia y sus negocios. Es como entrar en una celda.

De rodillas en la iglesia de la Sagrada Familia en Saginaw, Michigan, con la luz roja del sagrario en mi ojo interior, me pregunto por mi sombra pesada y triste. Como si tuviera dos cuerpos en mi cuerpo, siento que ella todavía no está muerta, y ensombrece mi vida. Vengo aquí sola para que ella pueda decirme lo que quiera, para que Aspasia también pueda tener su lugar. En esta encarnación soy una mujer; encontrar mi poder femenino es mi verdad. Quizás la mujer victoriana podía sentir a Aspasia en lo más profundo de su ser, y ahora necesita que Barbara libere sus poderes. Mirando fijamente la luz del sagrario, siento una pesadez gris en mi cuerpo. Me pregunto qué le ocurrió después de morir y antes de que yo naciera.

Estoy flotando en la parte superior de la iglesia, mirando hacia abajo y contemplando mi cuerpo en mi propio funeral. Estoy intentando irme, ascender hasta lo azul. Mi marido, nuestros cuatro hijos y la niñera están sentados en la primera fila. Un dignatario sumamente importante de la Iglesia está oficiando la Misa de Réquiem con el ataúd justo debajo de él. Ahora está cerrado, aunque antes estaba abierto. Estoy asombrada por la cantidad de gente que hay en la iglesia. Hay muchos pobres en la parte trasera, temerosos de ir a la parte delantera debido a la muralla de ropa cara, sombreros y joyas. Están ahí porque me quieren. Llegué a ellos porque hice mucho trabajo de caridad. Yo era algo más que una mujer rica dando dinero. Chicago estaba lleno de gente. Yo cocinaba en los comedores populares y ayudaba a cuidar de los inmigrantes, de sus hijos y de los ancianos. La energía era buena en mi corazón y en mis manos.

Esta era la única forma en que yo podía utilizar de alguna manera mi vida infeliz. Puesto que era rica, podía hacerlo, y estoy agradecida por ello. No me sentía separada de la gente, como le ocurre a la mayoría de señoras ricas, y no creo que ellos se sintieran desconectados de mí. Confiaban en algo que habían en mis ojos y en mis caricias. Ese es el motivo por el que esas personas están aquí. A mi marido le resulta embarazoso porque aunque la clase alta está en las primeras filas, no hay mucha gente ahí, teniendo en cuenta el estatus de su familia. Por otro lado, en la parte de atrás hay hordas de personas. No gustan a los ricos porque están sucias, son «los que no se lavan».

Esta es la primera oportunidad que tiene mi hija de ver a toda esa gente, y los mira fijamente con los ojos muy abiertos. Todavía no entiende quiénes son, pero le impresionan. Una mujer está sentada con mis hijos en mi funeral. Es pelirroja, lleva el pelo suelto y está vestida como una niñera o una tutora para los niños. Siento que está liada con mi marido. La posibilidad de que pueda tener algún sentimiento hacia otro ser humano me asombra.

Ahora estoy en el comedor, flotando encima de ellos mientras cenan. Fallecí tres semanas atrás y ahí están todos. Estoy preocupada por uno de los chicos, y estar así es más difícil que estar viva porque tengo la Visión y puedo ver su futuro: se quitará la vida. Puedo visitarlo en un sueño y, cuando él me llama para que entre en su sueño, entro y le digo que no lo haga. Es algo enigmático, sólo un rápido ir y venir.

Cuando este hijo mío era más pequeño, siempre era el sensible y el problemático, siempre era el que tenía miedo. Los visito a todos y, después de haberle dado el mensaje a mi hijo en el sueño, abandono la Tierra. Veo una luz negra mezclada con luces moradas y de color azul zafiro. Siento que la negrura tira de mí, pero no tengo miedo. Quizás he ascendido hasta un lugar que está encima de la Tierra, pero no voy más allá de eso porque todavía me siento ligada. No me da miedo, porque de todos modos me he alejado. No estoy capturada como un espíritu. En el lugar al que voy, todo es gris con puntos negros mezclados con imágenes lóbregas. Muchos espíritus de personas están ahí conmigo. Son todos equivalentes y no hacen nada; sólo son campos de energía. Veo colores oscuros y perturbadores. Los tiempos son muy malos en la Tierra y los espíritus que están a mi alrededor reaccionan ante eso.

En esta época, todo es desdicha, guerra, muerte y luchas en la Tierra, y no tengo elección respecto a regresar inmediatamente, lo cual me sorprende. Hago una pausa durante unos minutos más y hago un pacto con mi Yo Superior de tener hijos y realmente liberarlos esta vez. Me mantendré sana y fuerte para no tener que dejarlos cuando ellos me necesiten. Quiero regresar al plano terrestre en 1943, por todo el sufrimiento que hay, y quiero actuar, no sólo observar. Cuando estamos en el plano astral, no podemos liberarnos de lo que está ocurriendo en la Tierra. A medida que va pasando más tiempo, me van entrando ganas de actuar, en lugar de limitarme a sentirlo. Las cosas están realmente mal ahí abajo, son realmente terribles. Mientras me preparo para ir ahí, sé que no tienen ningún sentido elegir a dónde voy a ir, porque de cualquier modo elegiría mal. Estoy tan preocupada por los problemas en el planeta que simplemente dejo que ocurra. Expreso el deseo de volver a encarnarme. Quiero salir del plano astral porque es sumamente incómodo, ya que sigo siendo pasiva incluso después de mi propia muerte.

Estoy descendiendo ¡a toda velocidad! Ahora entiendo por qué a la gente le gusta correr. Al descender, estoy atomizándome, ¡zum! Y entonces aterrizo. El útero es suave. Estoy en la cocina de la casa en la que crecí. Es extraño... Estoy dentro de su vientre y soy consciente de la habitación en la que ella se encuentra ahora. Hay armarios blancos de metal con pomos de acero inoxidable; el papel de las paredes tiene dibujos de especias como hojas de laurel y orégano, recetas, y también dibujos de gallos y gallinas rojos y blancos. Todo está a la altura de la cintura mientras ella me lleva en su útero. Se mueve con lentitud y pesadez, y todo parece ser muy duro para todo el mundo. Está sola, pero parece contenta. Él se ha ido a la guerra. Ella está en su propia casa, lo cual facilita las cosas. La gente vive día a día, esperando que el horror se acabe. Sí, puedo sentir sus sentimientos, y ahora conozco el dolor de su corazón.

El tiempo va transcurriendo... Me siento empujada, presionada, y ahora estoy totalmente dentro de su cuerpo. Estoy atrapada en la oscuridad. ¡Esto está tan apretado! No puedo respirar. Oigo su corazón latiendo cerca de mi cráneo por última vez desde dentro, por-

que voy a empezar a salir de su cuerpo. Todo me está presionando, pulsando y empujándome. Siento mi partida como un tapón que es empujado por un tubo. Pero mi separación y mi llegada están drogadas, y salgo como un pez borracho que lucha por respirar.

5

El astrónomo del Renacimiento, el comerciante medieval y el romano

Las voces interiores empezaron a desaparecer cuando entré en la escuela y se vio cuánto me gustaba el conocimiento. Mi abuelo me enseñaba cosas sobre los mitos y las culturas de la Antigüedad, y me daba muchos libros para leer. Aspasia encontró una salida a través de Jasón y los Argonautas, los mitos de Ariadna y el Minotauro, y de Perséfone y Deméter. Ichor estaba tranquilo en mi interior mientras yo contemplaba las inscripciones de los templos egipcios, y el druida exploraba los pantanos y los bosques profundos conmigo. Leer Historia y pasar horas estudiando el globo terráqueo iluminado de mi abuelo reforzó mi mente analítica, mientras que mis recuerdos interiores estimularon el hemisferio derecho de mi cerebro y me animaron a seguir mis fascinaciones. Si observas qué temas históricos y míticos interesan a tus hijos cuando empiezan a ir al colegio, sabrás mucho sobre sus vidas anteriores. Mis abuelos lo sabían, de modo que simplemente me daban cada vez más información.

Estoy sentado a una gran mesa en la biblioteca de la casa del conde. Soy musculoso y estoy muy bien formado, y mi cuerpo todavía se siente igual de excitado y lleno de energía que cuando yo era un bufón. Ahora soy un alumno de los tutores del conde. Esta biblioteca es muy grande y aquí vienen sabios de lugares muy distantes para estudiar porque las bibliotecas privadas son las mejores. Llevo puesta una túnica marrón que me llega hasta las rodillas, con una cuerda alrededor de la cintura, y estoy tonsurado. Estoy mirando una ilustración de la Tierra: plana, con un horizonte circular. La mitad superior es un cuenco invertido que contiene las estrellas y los planetas. Hay un dragón vistoso expulsando fuego en la parte plana, pero yo no estoy de acuerdo con eso. No soy el único que sabe que no hay ningún dragón debajo de la Tierra. Hay otras personas que saben que la Tierra es redonda; esa es la gran controversia del siglo dieciséis. Estoy intentando comprender las órbitas de los planetas. En este dibujo, el mundo es plano y dentro del cuenco veo a Saturno, a Júpiter, a Marte, a Venus y a Mercurio, y una media Luna. Estoy haciendo garabatos en una hoja de papel para encontrar maneras de hacer que las órbitas planetarias sean circulares. También estoy dibujando la Luna girando alrededor de la Tierra. Estoy intentando visualizar la Tierra y los planetas girando alrededor del Sol con la Luna girando alrededor de la Tierra. Realmente estoy intentando comprender dónde están las cosas, pero esto no es nada nuevo, porque Copérnico ya lo resolvió.

Más adelante, estoy enseñando en la Universidad de Leipzig y tengo visiones de las órbitas planetarias con el Sol en el centro. Estoy emocionadísimo por poder estudiar y explorar la nueva ciencia. Los estudiantes están muy interesados en lo que estoy enseñando, que es nuevo, excitante y controversial. Tengo unas asombrosas e intensas sensaciones de gravedad, equilibrio y la ubicación de cosas en mi cuerpo. Cuando les muestro cómo funcionan el Sol y las órbitas planetarias, mis ideas son contagiosas porque estoy muy entusiasmado. Tengo treinta y cinco años, soy alto y delgado, y estudio tanto que me olvido de comer lo suficiente para mantener unos buenos músculos. Pero, igual que cuando bailaba en la corte, cuando hablo del equilibrio en el sistema solar puedo sentir el equilibrio en mi propio cuerpo. Cuando se lo explico a los estudiantes universitarios, es algo que ya conozco porque lo siento en mi cuerpo. Soy un joven científico seguidor de Kepler, Galileo y Giordano Bruno, y para mí sus teorías no son difíciles de entender porque cuando era joven cambié mi punto de vista. Siempre que estudio una nueva ecuación, tengo la sensación de que ya la conozco. Aprender es como redescubrir, de modo que comunico un gran entusiasmo a los alumnos para ayudarles a cambiar sus puntos de vista. Estamos estudiando las leyes del universo y cómo las órbitas trabajan con el movimiento, la gravedad y el peso: mecánica celeste.

Las ventanas altas de vidrio claro y distorsionado, con burbujas, que están en todo un lado de la habitación, dejan entrar una encantadora luz difusa que suaviza los suelos de piedra. Tomándome un descanso, contemplo los techos de los edificios a través de las ventanas y veo muchísimos chapiteles altos. Hay un río grande en la distancia que pasa entre unas colinas onduladas exuberantes, muy verdes. Los campos son amarillos y dorados, y los árboles tienen un tono verde medio intenso.

La plena reaparición de Erastus Hummell en mi consciencia cuando yo tenía seis años de edad tuvo un poderoso efecto equilibrante. Sin embargo, miré a mi alrededor ¡y me quedé horrorizada por lo que vi! Debido a mis recuerdos claros de vidas anteriores, pude ver que, a diferencia de la educación de Erastus, la calidad de mi educación en las escuelas norteamericanas era atroz. Yo sentía que nos estaban formando para que fuéramos estúpidos. En cuanto al oráculo de Aspasia, incluso matar a una araña era una herida para la Gran Madre. A mi alrededor, en Michigan, las ranas, las mariposas, los zorros, los lobos, los peces y las aves estaban muriendo. Estaba teniendo lugar un holocausto a cámara lenta sin que nadie pareciera darse cuenta. Durante todo ese tiempo, yo decía: «¿es que no lo VEIS? ¿Es que no lo VEIS?», y lo único que me decían era que yo era «traviesa» o «hiperactiva». Crecer era como ver un fuego quemando a cientos de personas que están llamando a gritos a la gente que pasa por ahí y que no hace nada por rescatarlas.

Entretanto, lo peor era que mi Yo Superior sabía que yo también era un asesino, un violador y un destructor. En lo más profundo de mi ser, podía oír voces de vidas anteriores que habían participado en todos los pecados que estaban culminando a mi alrededor durante esta vida. Esta comprensión llegó primero a través de unos recuerdos extraños de unas vidas vividas en épocas en la que las raíces humanas eran arrancadas de la Tierra, como cuando yo era un nómada o cuando toda una sociedad fue destruida. Entonces, aunque yo resonaba con mi casa de clase media (el ideal de la década de los cincuenta), lo que estaba causando en la naturaleza hacía que ese ideal me pareciera un enfermedad. Este conflicto me inspiró a encontrar las fuentes de esta profunda enfermedad dentro de mí. Quizás algún día podría comprender esta gran alienación, si primero llegaba a conocerme a mí misma. Ha llegado el momento de explorar mi vida en la Europa medieval, cuando era nómada y comerciante, una época en la que estaba distanciado de la Tierra y de mi Ser Interior.

En el cuerpo del comerciante medieval, experimento la densidad exactamente igual que durante mi vida anterior en Roma. Soy un hombre ligeramente corpulento, con el cabello negro y grueso, que lleva puesta una túnica. Tengo una barba corta y bigote, mi nariz es grande, con una protuberancia, y tengo pelo en el pecho y en la barriga. Llevo puesta un túnica tosca de algodón con una cinta de doce centímetros de ancho alrededor de la cintura. La cinta es gruesa y tiene ribetes, y de ella cuelga una vaina que contiene una espada ancha y afilada de cuarenta y cinco centímetros de largo. Sostengo el cinturón de cuero mientras agarro la espada y la desenfundo. En esta época soy un soldado. Mis brazos y mis piernas son fuertes, y tengo unas manos delicadas, de piel blanca y con pelo en la parte posterior. Las cintas de cuero en mis muñecas están ribeteadas y mis manos son suaves pero fuertes. Mis zapatos son estrechos y prietos.

Me acababan de llamar para recibir órdenes en un pequeño despacho de la ciudad. El oficial de la ciudad estaba sentado a una mesa de escritorio tosca, de madera llana, y había bancos junto a la pared. Una pequeña ventana dejaba entrar la luz a través de unas rejas de hierro que estaban detrás del oficial: no tenía ningún vidrio, sólo unas contraventanas de madera en el exterior, ya que en aquella época el clima no era muy frío. Me dijo que los soldados tenían que encontrar alimentos porque, de lo contrario, no habría bastante para la gente. No había llovido lo suficiente, todo estaba seco y los cultivos se habían echado a perder. De modo que recibí mis órdenes y esa noche cené en casa de mi padre, en torno a una gran mesa redonda, con muchos amigos que habían sido invitados por mi familia. Mojamos nuestro buen pan rústico en el estofado de verduras y el caldo de carne que llenaban los tazones de madera y bebimos vino tinto de nuestras copas de peltre. El estofado estaba caliente y delicioso, y el pan redondo de mi madre tenía un sabor maravilloso. Mi padre era jovial: le gustaba comer, beber y hablar. Vestía una camisa de lana y unos pantalones debajo de una chaqueta de cuero con piel en el cuello y tiras de piel en los bordes de los bolsillos y bajando por la parte delantera. Mi madre, que tenía un ligero sobrepeso, el cabello oscuro y la piel blanca, no decía mucho.

Mi mejor amigo estaba sentado a la mesa conmigo. Lo invitaban a menudo, ya que era callado y muy inteligente, pero cuando quería decir algo hablaba muchísimo. Éramos amigos desde nuestra juventud y le caía bien a mi familia. Ninguno de los dos vivía en la casa con mis hermanos y hermanas, así que después de la cena mi amigo y yo nos marchamos juntos. Salimos por una puerta gruesa de madera, que era redonda en la parte superior, agachando la cabeza. La calle era un camino de tierra estrecho con casas pequeñas de madera y estuco con techo de paja a ambos lados, que estaban adosadas o muy cerca unas de otras. Delante de mi casa, la calle empezaba a descender. Caminábamos, riendo y bromeando. Después de un cuarto de milla, llegamos a una puerta de madera de unos dos metros y medio de ancho que chirrió cuando la empujamos con fuerza. Al abrirla, había un granero miserable convertido en una barraca en la que los soldados dormían en viejos pesebres de animales. Fuimos a nuestros pesebres y desenrollamos nuestros petates. Mientras los hombres se preparaban para irse a dormir, sentí que hubiera preferido estar en mi casa. Este lugar olía a heno, a orina, a cera de vela y cenizas: no era demasiado desagradable, pero tampoco era demasiado agradable. Éramos todos soldados de servicio, pues eso era lo que los chicos tenían que hacer a los dieciséis años.

Era una ciudad pequeña y bonita en la que prácticamente todas las calles eran como la de mis padres. Algunas casas eran más grandes, y había iglesias con campanarios. La iglesia en el centro de la ciudad, en la colina, estaba hecha de piedra rojiza y era más grande que las demás. Yo tenía que ir ahí, pero no me gustaba. Todo el mundo tenía que ir a esa iglesia y sentarse en unos bancos toscos de madera. Cuando la luz entraba por los vitrales, hechos principalmente de vidrio rojo, se producía una sensación mística ahí, bajo los altos techos con sus sencillas vigas de madera. Todo estaba muy silencioso allí dentro cuando quemaban incienso.

Debería habérmelo tomado más en serio. Pero no podía, especialmente cuando el obispo salía como un rey. Vestía un tocado elaborado y una colorida sotana de seda bordada. Como una grulla, siempre estaba encorvado a la altura de la cintura, inclinándose servilmente, o poniéndose de rodillas. A veces bajaba hasta el suelo delante del altar, y se quitaba su tocado *beige* y dorado para dejarlo en un lado. Éste tenía casi sesenta centímetros de altura, con dos puntas a los lados y una parte redonda en el centro. La voz del obispo hacía eco por la iglesia cuando cantaba con una voz llena, nasal, en ese espacio lleno de gente. Detrás de él y muy alto encima del altar, clavado a una enorme cruz tallada en madera, había un Jesús grotesco y sangrante, con un rostro de un tono pálido verdoso y los ojos mirando hacia el techo. El Jesús era tan grande como un hombre, y el crucifijo hacía que el regio obispo pareciera obsceno. Incluso los soldados tenían que ir a la iglesia prácticamente todo los días.

Mi pueblo era grande y no tenía una administración central. Los pueblos estaban muy distantes unos de otros, de modo que cada uno de ellos era muy importante en su propia región. El mío se encontraba en una colina bajo la cual había un río de seis metros de ancho. Bajaba con tanta fuerza, que no se podía poner un barco en él. Cuando trasladábamos algo pesado, utilizábamos carros con grandes ruedas de madera y un hombre llevaba sobre sus hombros los dos asideros del carro, o usábamos burros. Mi pueblo estaba en lo que más tarde fue Polonia o Yugoslavia, y teníamos que recorrer enormes distancias para llegar a otra cultura. Fuimos al oeste para conseguir alimentos para ayudar a nuestro pueblo, así que deja que te cuente lo que ocurrió después de que recibiera las órdenes, cuando ya habíamos salido de nuestro pueblo...

Ha llegado el momento. Los hombres se quedan en silencio para escucharme, y cuando empiezo a hablar siento que una intensa energía recorre mi cuerpo. Nunca antes había sentido esto y tengo

miedo de quedarme sin palabras. Pero, a continuación, un rayo caliente de luz blanca golpea mi frente y hablo a mis soldados.

«Todos estamos hambrientos, cansados y confundidos. Vinimos aquí a dormir y a comer de los almacenes del apeadero, pero otros antes que nosotros se habían comido todos los alimentos. No hay comida para nosotros. Ahora sabemos que las hordas están avanzando hacia el oeste desde lugares que están aún más al este que nuestro pueblo. Hemos resistido los terribles inviernos cuando parecía que nunca dejaría de nevar, y todos hemos visto morir los cultivos y las plantas en el calor seco y abrasador de los veranos en los que no ha llovido. Nos marchamos porque incluso los árboles murieron, los ríos estaban prácticamente secos y los niños empezaban a morir. Quizás nunca volvamos a ver a nuestras familias y quizás muramos de hambre. Debemos mantenernos unidos porque somos la única esperanza. No podemos simplemente detenernos y dejar que la situación empeore.»

Las semanas siguientes fueron una auténtica pesadilla en la que los hombres fueron muriendo uno a uno. Me di cuenta de que jamás regresaríamos al pueblo. Pero mi amigo y yo sobrevivimos. Y cuando cruzamos el Rin y entramos en una tierra que no estaba seca, fui un hombre diferente. Iba a sobrevivir, sin importar lo que tuviera que hacer. Como si estuviera en un sueño, poco después de eso me encuentro en la hermosa catedral de Reims. Estoy asombrado de que se haya podido construir, porque en nuestro pueblo no había nada parecido. El edificio es abovedado y se eleva hacia el cielo; incluso me siento místico por dentro. No quiero regresar al pueblo. Todo está cambiando. En las ciudades, hay negocios, comercio. Gente de todas partes va y viene, y yo ya no puedo quedarme en un pueblo pequeño. Es una época de cambios. Ahora tengo treinta y dos años y podría convertirme en un comerciante o trabajar en un comercio. No estoy casado, de modo que soy libre y tengo un poco de dinero. No me gustaba estar en el pueblo ni en la iglesia del obispo. Ahora siento que puedo elegir.

Salgo de la iglesia vistiendo una túnica corta de cuero sobre una camisa de algodón suelta y finamente tejida. Mis botas finas de cuerpo cubren mis pantorrillas. Al salir a una gran plaza central cuadrada llena de gente que viste ropa de lana de colores vivos, veo los edificios de tres y cuatro pisos que están alrededor de la plaza donde los comerciantes están vendiendo mercancías en sus puestos. Esto es muy emocionante, y hace un tiempo hermoso: muy soleado, con brisa, y hay unos doce grados de temperatura. El negocio es entre comerciantes de diferentes países y pueblos. Mi amigo y yo queremos trabajar en algún tipo de pequeño comercio. Camino a través de la plaza, mirando a la gente, y luego bajo por una calle estrecha de piedra que se curva hacia aquí y allá cuando otras calles llegan a ella. Los edificios tienen tres pisos de altura, con callejones laterales, y algunos tienen pisos superiores sobresalientes con balcones que casi se tocan. En algunos casos sólo hay entre 3,50 y 4 metros de distancia entre los balcones de uno y otro lado de la calle. Los techos son de teja roja. Sólo se puede ver el cielo si uno mira directamente hacia arriba, y hay un maravilloso ambiente umbroso en la calle.

Llego a mi apartamento. Mi puerta de listones de madera da directamente a la calle. La abro y subo por una estrecha escalera de piedra; paso por el segundo piso y llego a mi apartamento en el tercer piso. Tengo dos habitaciones con una ventana grande en la parte delantera, sin balcón. La habitación de delante es bastante luminosa y limpia, casi monástica, con una pequeña mesa redonda y dos sillas, y un banco plano y ancho contra la pared en el cual duermo. La otra habitación, que está detrás, es una cocina ordinaria con un horno de colmena en la esquina, donde puedo encender el fuego para cocinar carne y pan caliente. No hay agua corriente, sólo un fregadero de piedra con un cántaro vidriado. Hay una ventana pequeña en la parte posterior, sin cristal. La ventana grande en la habitación delantera tiene unos cristales pequeños, gruesos y con burbujas, a través de los cuales resulta difícil ver. Si quiero ver algo, abro la ventana. La tienda de mi casero está abajo, en la planta baja, y no me cae bien. Bajo a pagarle el alquiler con una moneda grande de plata en la que está grabado «10 dracmas» en números árabes debajo de un mandala geométrico. El otro lado de la moneda tiene un grifo volando, y cualquier persona tardaría un mes en conseguir una de estas monedas. Este es mi alquiler para seis meses. Mi casero es un curtidor. No curte el cuero aquí, sino que solamente lo vende.

Con el tiempo, me convierto en un comerciante de éxito y a los cuarenta años ya tengo una casa en la ciudad. Nunca me caso, y soy muy burgués y de clase media. Mi casa está en medio de otras dos. Tiene dos pisos y es de mi propiedad. Hay una puerta que da directamente a la calle, como es habitual, y luego, subiendo cuatro o cinco escalones, uno llega a una gran habitación que sube dos pisos. Las escaleras que llegan al altillo del segundo piso están magníficamente talladas. Cuando miras hacia arriba, ves un balcón bellamente tallado y unas puertas que dan a los aposentos. El comedor debajo del altillo tiene unas bonitas ventanas que dan al patio trasero de mi casa, donde está ubicada la cocina exterior. Mis sirvientes cocinan y limpian la casa y encienden fuegos. Yo no tengo que hacer ese tipo de trabajo. Soy un comerciante: viajo y comercio. Compro cosas en un lugar y hago los arreglos para que sean llevadas a otro lugar. Esa es la manera de ganar dinero actualmente. Cada vez que compro algo y lo vendo, puedo cobrar mucho más. En la ciudad, me muevo en una forma tosca de carruaje, y cuando viajo a lugares más distantes suelo montar en mi caballo. Mi amigo va conmigo muchas veces para facilitar el comercio. Somos comerciantes importantes, los capitalistas del comienzo, y estudiamos muchas propuestas.

Es el año 1208. Mi amigo y yo estamos sentados a una mesa, hablando, mientras unas sirvientas jóvenes nos traen cerveza y vino. Estamos hablando de las Cruzadas en el sur de Francia. Estos son tiempos inestables, y estamos intentando pensar en maneras de sacar provecho de esta situación.

Antes de entrar en mi experiencia durante las Cruzadas en el sur de Francia, debo explicar algo importante acerca de la vida de este comerciante medieval hasta este momento. Al ser un comerciante medieval que vivía en los inicios de la economía de mercado, sólo me preocupaba la supervivencia. Históricamente, las inundaciones y el frío fueron parte de una mini-Edad de Hielo repentina que provocó la muerte de miles de personas, posiblemente de unos pocos millones. Ser un superviviente rara vez inspira el crecimiento en la consciencia. Sin embargo, para mí, mi papel como superviviente en la Edad Media era en realidad una respuesta positiva a una profunda

pasividad que me había hundido cuando había sido un terratenien-
te romano. ¿Por qué en unas ocasiones somos pasivos y en otras
ocasiones estamos decididos a sobrevivir, incluso si ello implica
vender nuestras almas? Tengo que plantear esta pregunta porque la
mujer victoriana y el romano fueron las vidas más pasivas que pue-
do recordar. En ambos casos, la realidad general era tan opresiva
que el espíritu sólo deseaba abandonarla lo antes posible. Sin em-
bargo, en ocasiones, al renunciar a la vida simplemente tomamos
sobre nosotros más karma que necesita ser equilibrado.

Ahora es el momento de regresar al principio del Imperio Ro-
mano...

Nuestra villa está al oeste de Roma y tiene una vista sobre las colinas
que llega hasta el lejano mar. Estoy de pie en el borde de una colina
baja y llevo puesta una toga blanca y sandalias. Tengo veinte años y
estoy contemplando la tierra en la que solían estar los pantanos antes
de que los romanos los drenaran. Sus proyectos a gran escala, como
los acueductos en la ciudad, son maravillosos, pero todavía recuerdo los pantanos. Hemos cultivado estas tierras durante más de cien
años, pero ahora las cosas son distintas. Durante muchos años nuestra familia ha cultivado cereales para la diosa Ceres en paz y tranquilidad. Miro por encima de las colinas para ver el agua azul y me pregunto si alguna vez volveré a sentir esa tranquilidad. Antes solíamos
tener un ritmo de vida armonioso, lento, pero las autoridades roma-
nas entregan muchas de nuestras tierras a los esclavos y a la chusma
de la ciudad. A nadie parece importarle la agricultura, cultivar cereales para la Diosa.

Estoy sentado en un patio en la ladera de la colina, donde puedo
ver las bellas aguas azules y los verdes árboles en la distancia. La tierra tiene color de arcilla y es arenosa, y cerca veo las crásula ovata y
los cornejos macho. Soy joven y tengo una tremenda energía en mi
cuerpo (energía de fuego). Súbitamente, el momento desaparece.
¿Dónde estoy? Siento como si estuviera atrapado en el ojo de un huracán; es como si estuviera soñando, estoy atrapado en el tiempo, con
una sensación interior de pánico. Me veo moviéndome entre los árboles y subiendo a la villa. La casa es... como un túnel. Caballos –ca-

ballos de montar, montando a caballo. Estoy cabalgando rápido... Estoy montando a caballo por un sendero arbolado. Siento el peligro, pero no puedo ver nada. Detengo mi caballo, me bajo, ¡y me agarran! No puedo ver porque tengo miedo, pero sé que algo está a punto de ocurrir. A continuación, estoy en un gran edificio romano, rodeado de un montón de gente, y alguien me agarra de los hombros por detrás. Es un soldado romano que lleva puesto un casco con una cresta y una armadura de hierro. Me quitan mi caballo, me llevan y me golpean en la cara. Incluso antes de llegar aquí, ya sabía lo que iba a ocurrir. Es injusto: van a encarcelarme.

Me acusan de no pagar mis impuestos, pero no ha habido dinero durante mucho tiempo. Me llevan a una habitación en la cual hay un hombre sentado detrás de una mesa. Nadie puede pagar los impuestos y están confiscando las tierras a todo el mundo. Nadie parece recordar que la tierra es para cultivar cereales para la Diosa. Para los romanos, la tierra es sólo algo para comprar y vender, para hacerse ricos. Durante años hemos cultivado la tierra y proporcionado alimentos a todas las personas y los nobles de Roma. Ahora, ¡es como si no hubiéramos hecho nada! El hombre que está detrás de la mesa es gordo y lleva mantos rojos. Un hombre en Roma, el César, tiene todo el poder, y las cosas nunca antes habían sido de esta manera. Yo provengo de la clase media; nuestra familia solía tener dinero y ahora lo único que tenemos son las tierras en las afueras de Roma. El hombre quiere que firme el traspaso de mis tierras como pago de la deuda, pero no puedo hacer eso. Presiento lo que me van a hacer, pero no puedo ceder mis tierras; eso sería una muerte segura para nuestra familia. De algún modo tenemos que pasar por estos tiempos terribles y volver a sembrar el cereal otra vez en cada temporada. Esta gente se irá algún día y la tierra volverá a dar frutos. Pero ya no estoy tan seguro de eso. El dinero no tiene ningún valor y ellos son perezosos, así que quizás la tierra pierda su poder de hacer que las semillas crezcan. Mi país está en mal estado.

Hay personas hambrientas por todas partes y la tierra se está secando. A nadie parece importarle. Es el año 52 a. C. El hombre me acusa de pertenecer al antiguo sistema de valores: producir cultivos y traerlos a la ciudad. Dice que la gente tiene que tener las tierras para producir sus propios cultivos. Yo odiaba venir a la ciudad donde el comercio se está viniendo abajo debido a los disturbios. El dinero va a parar a las guerras en el extranjero, mientras que la gente en Roma no trabaja. Las cosas no están tan mal en el campo. Defiendo nuestro caso, pero sé desde el principio que perderé. Hoy en día, todo el mundo pierde. Me sacan fuera y me llevan por un pasillo largo. Me siento impotente y mareado, porque sé lo que me van a hacer...

La experiencia de mi vida como el agricultor romano tuvo un impacto muy fuerte en mi vida como Barbara debido a las similitudes entre el Imperio Romano y los Estados Unidos. He tenido un miedo casi obsesivo a las deudas y a la inflación, porque he visto la destrucción de la tierra cultivable. La mayoría de los agricultores ha perdido sus granjas por el comercio de productos agrícolas, y parece que el resultado será la hambruna y la desesperanza. ¿Hemos aprendido algo del pasado? ¿Cuál es la solución? La respuesta es: consciencia. Nuestra única esperanza reside en la capacidad de la mente humana de crear nuevas realidades. Si suficientes personas ven un nuevo camino y lo llevan a la práctica, un nuevo equilibrio con la naturaleza es posible. Una nueva realidad se está preparando para formularse, mientas que la vieja realidad está decayendo; el viejo mundo está muriendo y el nuevo está llegando.

6

La visión en el templo
y el escarabajo

Antes de mi séptimo cumpleaños, en un frío día de noviembre, cuando la familia estaba dentro de nuestra casa, abrí silenciosamente la contrapuerta de atrás y salí al exterior. Había sido llamada a ir a alguna parte, y no podía explicar a dónde o por qué. Bajando cautelosa y lentamente por las escaleras traseras, salí de la sombra de la casa y esperé a recibir orientación. Moviéndome con la fuerza, trepé por un muro de piedra y caminé hacia el centro de la entrada para coches del vecino de al lado. Mirando hacia arriba, vi las ramas de los olmos y de los castaños cubiertas de una delgada capa de hielo, la cual se hacía añicos como el vidrio que se rompe con las rachas de viento.

Ahora tenía que darme prisa. Corrí por la entrada de coches hacia las verjas de hierro que estaban entre dos torres cuadradas de ladrillo con coronamientos de piedra, que estaban cerradas. Me detuve al llegar a la verja y puse mis manos sobre ella como si deseara abrirla, y mis guantes se engancharon en el metal húmedo y frío. Oí una voz susurrante que me decía: «¡Date prisa! ¡Date prisa!». Me volví rápidamente hacia la derecha, dejando mis guantes enganchados en la verja. Trepé por el portal de un metro ochenta de altura. Mis rodillas se rasparon contra los antiguos ladrillos mientras yo buscaba puntos de apoyo y me sujetaba con las manos desnudas. Al final me agarré a la piedra plana cuadrada de la parte superior, coronada por una esfera. Había suficiente espacio alrededor de la esfera de piedra para sentarme. Así que me levanté y me senté ahí con el

cuerpo abrazado a la esfera y descansando los codos sobre ella. Mi-
ré hacia el oeste en la entrada de coches, que estaba bloqueada por
las verjas de hierro, y vi un túnel que pasaba entre los lustrosos ár-
boles cubiertos de hielo que llegaban hasta el río.

Entonces fui aspirada hacia una envoltura sin aire, similar a un
útero. Eché la cabeza hacia atrás bruscamente cuando empezaron
a sonar las campanas ensordecedoras, resonantes, de la torre de la
iglesia cercana y una enorme espiral de energía de agua empezó
a girar alrededor de mi torre. Lo último que recuerdo es haber sen-
tido que no pesaba nada, a sentirme impotente y desconectada,
mientras cada campana que sonaba provocaba una pulsación de
luz magnética en mi cabeza. Sentí que unos cojinetes esféricos re-
chinaban en mi cabeza, y pulsaciones y calor en la parte posterior
de mi cerebro, mientras mi cuerpo caía desde la torre de un metro
ochenta de altura. Quedé tendida en el suelo, oyendo la voz otra
vez.

«Regresa, vuelve al momento anterior a que cayeras de la torre.
Debes recordar tu viaje hacia el interior de la luz. De lo contrario, no
podrás recordar tu parte más poderosa, tu vida como un profeta
hebreo.»

Encaramada otra vez en mi torre, con la cabeza echada hacia
atrás, sentí que un rayo morado entraba como un láser en mi cabe-
za. Mi cuerpo de luz salió de mi cuerpo físico justo antes de que yo
cayera al suelo y ascendió al cielo.

Llego muy alto, hasta un lugar en el que hay mucha luz y nubes, y
hay un círculo de ángeles. Es como las pinturas de Blake en *El paraí-
so perdido.* Hay cuatro arcángeles y un ser celestial en el centro que
está sentado en un trono, sosteniendo una esfera de luz, una bola de
cristal. ¡Estoy ahí para que me sanen! Me coloco delante de ese ser y
luego entro en el centro de la esfera de luz cristalina. Entro en su
centro mismo e irradio desde ahí, y me convierto en mi Yo Superior.
Los arcángeles que están alrededor del Ser están sanándome mientras me encuentro en el centro de la esfera. Ellos irradian amor hacia
la fusión de mi cuerpo de luz en la esfera que sostiene el ser celestial,
y yo me equilibro. Siento un cambio sutil en mi columna vertebral, en

mis hombros y en mis centros de la cabeza, y luego una fusión cálida indescriptible de sonido y luz. Lo último que siento es una pesadez magnética en mi cuerpo que estimula todas las células de mi Ser. Luego veo mi cuerpo tendido en el suelo y agitándose.

Después de esto, las personas de mi entorno cambiaron. Yo sentía que no podían verme. Mi programa favorito de la tele era «Topper», que trataba sobre un fantasma al que sólo unas pocas personas podían ver. Cuando Bobby, mi hermano pequeño, tenía tres años de edad, estaba todo el tiempo hablando con los muebles, en lugar de hacerlo con la gente. Después de mi caída, él me estudió detenidamente con sus grandes ojos azules y desenfocados, y luego empezó a mostrarme sus secretos. Me llevó al bosque y me enseñó a caminar por los senderos en un silencio sauk, y yo dejé de tenerles miedo a los árboles y al viento; sólo temía a las aguas profundas. Poco después de mi caída, mi abuelo me miró como si no me hubiera visto nunca. Enseñarme más sobre las culturas antiguas se convirtió en su misión elegida. Después de haber visto la luz, yo sentía que estaba «marcada» por otra realidad. Me sentía muy infeliz en la escuela y en casa, y muy desconectada de todas las personas que había a mi alrededor. Sólo era feliz cuando estaba con mi hermano y con mis abuelos. Más tarde, cuando ya era adulta, me di cuenta de que había tenido una experiencia «cercana a la muerte» a los siete años. A partir de ese momento mi infancia fue muy difícil porque mi cuerpo había sido modificado por la infusión de mi Yo Superior.

Una vez que mi visión cambió, empecé a buscar un templo fuera de mí. Mi búsqueda fue tan intensa, tenía tanto impulso, que inventé el peculiar hábito de «caminar intuitivamente». Cada lugar al que iba era una oportunidad de verlo otra vez. Cuando estaba sola, extendía mi mano y mi brazo derechos esperando que mi bastón se volviera a manifestar. Sintonizaba con grandes distancias, buscando la fuente del viento, y podía ver grandes distancias porque siempre estaba esperando. Y mi corazón empezó a expandirse hacia todas las que había a mi alrededor. Todavía no comprendía, pero me había convertido en el Pastor. Finalmente, recordé la época remota en la que entré en el Templo y tuve la Visión.

Me encuentro en la ciudad, caminando con rapidez, y estoy teniendo una percepción extrasensorial. Estoy sumamente asustado, porque mi rey ha muerto y mi pueblo está perdido. El viento levanta una polvareda en las calles desiertas. La gente se esconde porque teme que haya una invasión, y siento un peso en mi corazón debido al miedo. Llego a la escalinata del Templo (diez escalones hasta la puerta de entrada) y miro hacia arriba para contemplar el cielo oscuro, agitado. La higuera de la puerta tiene un aspecto amenazador y puedo sentir cómo tiemblan los dos pilares, como si se estuviera empezando un terremoto. Camino hacia las pesadas puertas y las empujo para abrirlas. Han consagrado este templo a Yahvéh, pero aquí busco a Elohim.

Hay un cubo negro en la parte posterior, donde se encuentra el objeto sagrado. Flotando en el espacio interior del Templo, veo la visión de una mujer impresionante, una Reina del Cielo, una figura de una diosa angélica. Está cambiando su forma: está dejando de ser una diosa antigua para convertirse en una diosa joven y hermosa. Mientras me baño en su resplandor, mi cavidad pectoral se llena de un abrasador líquido caliente y no puedo respirar. Miro por encima de ella, hacia los arcos en los que los ángeles llenan el espacio alrededor de ella y el aire está pulsando con energía. Ella continúa cambiando de forma mientras los ángeles llenan el aire con luz y las palomas entran y salen volando. Arriba de los arcos, por encima de la Reina del Cielo, hay una figura masculina que viste unos mantos marrones, con unas alas enormes, que sostiene un gran bastón e irradia una luz increíble. Es como un patriarca para mí. La increíble luz que irradia de él se convierte en unos enormes ángeles a su alrededor. Mientras miro a la figura, siento un poder asombroso en mis omóplatos, donde estarían mis alas si yo fuera un ángel.

Un carbón caliente que está en mi corazón me hace ir hacia delante. Cuando doy un paso, dos serafines se manifiestan ante mi vista y me detengo. El trozo de carbón caliente en mi corazón sale de mi cuerpo y pasa a las manos de uno de los serafines. Colocándolo entre su dedo índice y su pulgar, el serafín se pone delante de mí. Sostiene el trozo de carbón frente a mi tercer ojo y después delante de mi garganta. Luego, con ambas manos, lo vuelve a colocar en mi corazón. Los serafines regresan a su posición de vigilancia. Sé que se supone que no debo avanzar. Calmo mi corazón por primera vez en muchas semanas y levanto la mirada. La Diosa continúa cambiando de forma: ahora pasa de ser una virgen a ser una bruja, mientras los ángeles giran a su alrededor. Elevo la mirada para ver al Gran Patriarca.

Dice en un tono muy fuerte: «Yo soy Enoch. Ha llegado la hora. Debes hablar con la gente, debes ver la Visión y oír los sonidos. No debes continuar resistiéndote. Debes predicar para la gente y contar la verdad. Debes...». En realidad no está pronunciando palabras. Está resonando el conocimiento de que yo debo conectar todos los planos superiores con el plano terrestre. «Debes hablar a la gente sobre los planos superiores. Pronto habrá una gran destrucción en la Tierra y pocos sobrevivirán. Justo cuando creas que ya ha acabado y que no puede ocurrir otra vez, es entonces cuando volverá a ocurrir. Sólo el Arcángel Miguel puede ayudar a las personas en estos tiempos. Si escuchan y ven, serán sanadas. Los hebreos representarán un drama para la raza humana porque ellos son la semilla sagrada. La tierra de las Doce Tribus dejará de estar ubicada en la tierra natal de los padres. Por vuestro dolor, os dispersaréis por todas las tierras del planeta como la semilla sagrada que sois. Aprenderéis que vuestro Dios está en vuestro corazón y no en ningún país o templo. Si vuestra gente persiste en las costumbres de los hombres, vivirá el ciclo del fuego, del cual podrán escapar simplemente eligiendo la vida. Como puedes ver, la diosa se manifiesta en el tiempo y el espacio, y más allá de este lugar está la nada. El arcángel Miguel ofrece valentía para hacer que el corazón sea liviano como una pluma, pero pocas personas aceptan el regalo de Miguel.»

Estoy delante de Enoch, vaciado y desolado mientras el carbón arde en mi corazón. El fuego interior abrasa mi cuerpo porque aborrezco mi vínculo físico con los círculos eternos de destrucción.

«Ah, no, Elegido, no lo estás viendo correctamente. Todo esto es una ilusión presentada para tu placer, y el camino que lleva a la luz está contenido en la ilusión.» Súbitamente, el trozo de carbón caliente que está en mi corazón se expande, explosiona y me sacude hasta la fibra misma de mi ser. Me convierto en lo atemporal y lo informe mientras él me habla otra vez: «Siempre, en cualquier momento dado en la consciencia del hombre, la verdad es oída, vista y conocida por todos, pero la gente se niega a actuar. De lo contrario, no tendríais libre albedrío. Has sido elegido para contarles la verdad porque conoces la intemporalidad. Tu consciencia es infinita cuando sanas. Todo este dolor, cuando es sanado, es sólo eso: luz. Aquello en lo que piensa un hombre podría sanar el cosmos instantáneamente. Si un solo hombre viviera con su alma en su cuerpo, entonces podría colocar una pluma en su mano y envirarla directamente hacia mí de un soplo».

Doy media vuelta y salgo del Templo. Al atravesar el umbral, el aire me golpea. Estoy desorientado. Mientras voy caminando, todo lo que he visto y oído se vuelve irreal, pero he cambiado para siempre.

El único lugar que tenía sentido en aquella época era la casa de mi abuelo, donde podía hacer cualquier cosa que quisiera. Podía pasearme por los jardines de flores y vegetales, o podía entrar en el altillo, debajo del alero del segundo piso, y leer con atención los libros griegos y latinos. El sol se filtraba a través de las cortinas de encaje mientras un fuego ardía en la chimenea del salón de la planta baja para mantener fuera las corrientes de aire; su casa era segura y atemporal. Mis abuelos siempre estaban absortos en alguna actividad abajo, en la biblioteca, de modo que un día entré en su dormitorio e inspeccioné todos los objetos que estaban a mi alcance. Sobre el aparador del abuelo encontré un anillo de oro con un gran rubí, que tenía unos símbolos en los lados que eran iguales a los símbolos de un templo masónico cercano. Mientras observaba la piedra, unos rayos de luz que salían de sus facetas brillaron como lenguas de fuego. Entonces se produjo un cambio en mi interior, mientras los huesitos sonaban, una niebla gris inundaba mi cabeza y yo me iba otra vez.

Soy Ichor y estoy contemplando mi gran anillo de iniciación. Es de oro, con un escarabajo translúcido engastado en oro y unas serpientes de lapislázuli a los lados. A través del escarabajo veo los jeroglíficos que están debajo. Las serpientes representan mi iniciación a los ritos de Osiris y el escarabajo es mi iniciación a Horus. Todavía llevo puestos mis brazaletes de Osiris. Hoy hace un día muy soleado y la luz es tan blanca que a duras penas consigo pensar. Veo muchos templos, y estoy frente a mi templo, una pirámide bastante pequeña con dos columnas altas delante de la entrada. Son anchas, miden unos nueve metros de altura y tienen un frontón con inscripciones en la parte superior. La pirámide no es mucho más alta que las columnas. La entrada real a la pirámide es mucho más pequeña que las columnas. Las columnas y el frontón me hacen sentir como un enano, pero la entrada a la pirámide tiene una escala humana.

Cuando doy media vuelta y camino hacia el Templo, mi pecho se llena de una energía cálida. Llevo la energía hacia mis piernas de una manera especial mientras empiezo a ascender por la escalinata. Se trata de una técnica que aprendimos para poder estar magnetizados antes de entrar en el Templo. Al subir, llevo la energía a mi corazón; al dar pasos hacia delante, me muevo a través del tiempo. Mientras avanzo caminando, la energía de mi corazón está contenida, pero una energía tira de mí de cada lado. Es como si caminara con agua hasta el cuello: yo tiro de ella y ella tira de mí. La energía del corazón es la que hace que siga avanzando. Los escalones están diseñados para que este proceso pueda tener lugar correctamente.

Mientras entro en el Templo, traigo conmigo la energía del Nilo. Cuando llevo la energía del Nilo al Faraón y a los siete dioses, la llevo en mi tercer ojo. Ahora vengo trayendo esta energía en mi corazón. Cada año, después de haberle llevado la energía del Nilo al Faraón, la traigo para la gente y la dejo aquí. Entonces el circuito está completo. Mi corazón es grande debido al poder y a duras penas puedo levantar las piernas mientras traigo a mi templo a la gente que está en mi corazón. Estoy fresco, como el rocío de la mañana. Estoy libre del Faraón y la energía es mía. Venir al Templo es mi privilegio y mi regalo: el camino del corazón.

Mientras avanzo caminando después de haber subido la escalinata y recibido la energía del corazón, siento una resistencia a la energía que transporté por el Nilo. Siento las necesidades de la gente, pero ahora ha llegado el momento de encontrar mi propia energía mientras todavía llevo la energía del Nilo a mi templo. Cuando camino hacia delante, siento que tiran de mí por los lados. Es como una restricción caótica e indiferenciada en mis brazos y a través de mis hombros. Pero estoy entrenado para avanzar, así que doy otro paso. Estoy poniéndome nervioso por lo que pueda estar ocurriendo dentro de la pirámide, de modo que siento deseos de estar más adelante de donde se supone que debo estar. Ahora tengo que ascender por los siete escalones principales.

El primer escalón es de lapislázuli, y cuando lo piso me vuelvo profundamente magnético y estoy muy anclado. El segundo escalón es de una piedra verde, anacorita, y cuando la piso, la luz se intensifica delante de mí. La atracción tira fuertemente de mis manos, mis brazos y mis hombros, mientras la luz comienza a inundar mi cabeza y mi corazón. Es extraño. La energía que me detiene es una barrera esférica a mi alrededor que me hace sentir como el homúnculo. Siento que tengo que liberarme de este extraño huevo. Subo por encima de la anacorita. La energía y la luz en el huevo son del mismo tamaño que mi cuerpo. Miro hacia delante; hay cinco escalones más. Todo es de mi escala, excepto las altas columnas y el frontón que está encima de ellas, que son el Reino. Se supone que no debe importarme el tamaño de las columnas y el frontón, así que ignoro su imponente grandeza.

La energía de luz que siento es muy pequeña en comparación con las dos columnas, pero cada vez es más fuerte y más intensa: se convierte en titanio, que es algo que no puedo ver utilizando mi visión normal. Ahora avanzo haciendo fuerza con mis piernas otra vez y siento que un escudo en forma de huevo brilla con una extraña luz de titanio delante de mí. Camino hacia adelante y, súbitamente, la luz de titanio se disipa como unas gotitas de agua que se pulverizan. La energía que tiraba de mí por los lados ha desaparecido. Llego al tercer escalón, que es de cornalina roja, y siento un fuego en las manos, los brazos y los hombros, y ascendiendo por la parte posterior de mi cabeza. Es el fuego del libre albedrío; es la única vez que lo siento en mi vida. Ahora estoy flotando; siento como si estuviera en un sueño y siento el poder de alguna otra cosa. Mientras avanzo, floto hacia delante y soy muy consciente de mis pies. La sensación de flotar es sumamente placentera, pero sé que estoy caminando en mi mente consciente. Es difícil permanecer en el suelo, pero lo hago. Llego al cuarto escalón, que era amarillo, blanco y cretáceo. Es berilio, el tercer ojo.

Ahora, mientras avanzo caminando, siento como si estuviera siendo transportado por la mente de Mena, una mente que es más grande que la mía, una mente que me transmite lo que sabe. Ahora estoy preparado para ascender por el quinto escalón y siento que Mena va conmigo. No es así, porque tengo que ascender por los escalones yo solo. El quinto escalón es amatista, y ahora me siento multifacético. Soy la amatista que mira hacia la puerta del Templo. Los rayos del sol caen sobre mi espalda e irradian a través de las facetas de mi cuerpo, porque la parte posterior de mi cerebro en mi cabeza es de amatista. Mi Ser se está preparando para escuchar a Mena. Mena me ha subido al quinto escalón y ahora avanzo yo solo. Estoy muy alto, como si estuviera en un altiplano. Al acercarme al sexto escalón, puedo ver lo que hay delante de mí, mientras paso entre los dos grandes pilares que sostienen el frontón. ¡Puedo leer los jeroglíficos que hay en el frontón!

> «Este es un templo que fue construido por Ptah, el alfarero cósmico del antiguo Egipto.
>
> Ptah nos da la luz a través de las palabras del culto a Horus.
>
> Anubis cuida las puertas de este templo.
>
> Anubis nos permite leer los mensajes de los Ancianos.
>
> Aquellos que se comunican con los Guardianes pueden leer la inscripción de este templo.
>
> Aquellos que tienen el poder de la serpiente pueden entrar en este templo.
>
> Aquellos que no contienen a la serpiente no pueden entrar.»

Llegaré al sexto escalón. Ahora ya estoy más allá del frontón de la cima, donde descubrí la clave, que es sólo para los que han sido iniciados. Hay dos guardas del templo, por si alguien que no puede entrar intenta hacerlo, y matarán a cualquiera que no esté autorizado a

pasar. No me molestan. Si no estás autorizado a entrar, te agarran por los brazos cuando llegas al sexto escalón. Son de la Atlántida. Si los ves en su forma física, parecen grifos de piedra. Cada uno de ellos tiene un ojo malvado, un rayo láser que hace desaparecer a cualquiera que no deba entrar, especialmente si se trata de alguien de otra dimensión. En el plano astral, parecen ser los guardas del templo. En cuanto a mí, veo aves con unos picos pequeños y ganchudos que llevan puesto un tocado con rayas azules y doradas. Sus miradas son penetrantes, como la de un halcón. Son machos y tienen unos físicos perfectos. Todavía podemos encontrarlos en los muros de templos de diferentes partes del mundo.

El sexto escalón de luz de cristal pulsante molesta a mi tercer ojo: mi voluntad está perdiendo fuerza. Cuando voy a la pequeña pirámide que está junto a las Cataratas para recoger energía para transportarla por el Nilo, no lo paso bien. Es algo que tengo que hacer, pero no me gusta. He venido aquí para ser regenerado porque estoy cansado de esos deberes rituales. Ay, la luz de cristal es agotadora, como mi trabajo en esta vida. Cuando paso junto a los guardas astrales, a mi izquierda está Acanza y a mi derecha Dion, el que controla. Subo al sexto escalón y me siento cansado de esta energía. Cuando estoy de pie en el sexto escalón, mi falo se pone erecto, empujando mi falda corta de lino hacia afuera. Acanza y Dion envían una vara de energía a través de mí, pero yo tengo el control. Elevan sus manos por encima de mis hombros en una posición sanadora, con las palmas hacia fuera.

Juntos dicen: «Ichor, eres el portador de la luz atlante. Nosotros estamos tan cansados de llevar esta energía hacia delante como lo estás tú, o quizás incluso más. Pero los dioses nos ordenan que lo hagamos. Sabemos que no te gusta, de modo que te damos el poder para llevar esta energía sin que te sientas cansado. Lo harás porque nosotros te decimos que lo hagas. Nosotros tenemos el control porque debemos tener el control. Si no mantenemos el control, todo estará perdido. Pero nosotros también estamos cansados de esto».

Hay una liberación, una aceptación, y puedo pasar al séptimo escalón, el escalón del Séptimo Sello, que no tiene color ni vibración. Es la informidad, y una vez que uno está en él, cae a un vacío. Estoy en el séptimo escalón y veo más adelante un punto de energía pulsando dentro del templo que está enviando todo el espectro de luz visible en todas direcciones. Hay tres círculos de arco iris entrelazados y pulsantes que deben ser de otra dimensión. Me siento hipnotizado. Dejo atrás la oscuridad de la entrada del templo. Entro y me quedo quieto, contemplando los círculos de luz pulsante. Es extraño porque por fuera es una pirámide. Soy atraído hacia el centro, en el que vi los tres círculos de luz entrelazados, pero ya no los veo.

Camino hasta el centro y me quedo ahí de pie. Mena está por todas partes a mi alrededor, pero no estoy seguro de dónde. Desde alguna parte, lanza un rayo con su mano derecha hasta el centro y una silla de piedra se materializa detrás del lugar donde me encuentro, de modo que me siento en ella. Oigo un sonido metálico y una alteración de la corriente de aire indica que se ha abierto la puerta. Me siento drogado. Hay seis altares en grutas en los seis puntos que están iluminados por fuego en unos cuencos de piedra. Este espacio fue diseñado como unos triángulos entrelazados, con seis puntas. Ah, ya lo veo. Mientras me colocaba en mi sitio en el centro, Dion y Acanza habían convocado a Mena entre ellos. Ahora él también ha entrado y la puerta se cierra detrás de él. Mena está de pie delante de mí y tiene el escarabajo en su puño. Estoy totalmente en trance y adormecido por las vibraciones zumbantes en el escarabajo, que están transmutando ondas atlantes de tiempo. El escarabajo quema la mano de Mena, mientras que en el astral pulsa tan rápido que lo sostiene fuertemente. En el plano causal, el corazón de Mena se comunica con el mío mediante un entendimiento absoluto: simplemente sabemos. Mena también tiene problemas cuando los atlantes le quitan su voluntad. El escarabajo les pertenece. Mena no lo quiere más que yo, pero ese es el motivo por el que lo han traído aquí hoy.

Mena estaba sentado en su biblioteca leyendo un pergamino a cuatro o cinco millas de distancia, en el Alto Egipto, cuando fue succionado y transportado aquí a través del tiempo y el espacio. Se encontró entre esos dos seres, Acanza y Dion, quienes le dijeron que abriera la mano y colocaron en ella al escarabajo. Mena está muy enfadado, pero su corazón es como el mío: nos queremos incondicionalmente. Él quiere dármelo, pero al mismo tiempo quiere tenerlo, mientras la fuerza atlante quema su mano. Me dice: «Estoy muy cansado de transmutar la energía de los atlantes para los egipcios. Ellos tienen demasiado poder sobre mi ser. Siempre que quieren entrar a la fuerza y obligarme hacer algo, simplemente lo hacen. ¿Sabes lo desagradable que es? Son muy, muy descorteses. Y ese es uno de sus problemas».

Los atlantes todavía usan sus poderes aquí en Egipto porque en su época no mantuvieron la corriente de energía de positivo a negativo (la polaridad). La energía de la polaridad está fijada en el centro de las bases de las pirámides. Los atlantes eran unos grandes manipuladores de energía, podían volar y cristalizarse. Yo fui un atlante. En aquella época, desintegrábamos el átomo de hidrógeno en agua para liberar su energía, que era el combustible para construir nuestras ciudades, nuestros templos y nuestros medios de transporte. Nos volvimos perezosos porque lo único que teníamos que hacer era simplemente tomar esa energía para hacer cosas. Nos obsesionamos con nuestro poder y cometimos grandes pecados.

En aquella época, había otros humanos viviendo en otros niveles. Algunos eran hombres salvajes y primitivos que vivían en lo que en la geografía moderna es África, Brasil y China. Descubrimos que, si necesitábamos madera, podíamos arrebatarles todo un bosque, y luego los esclavizábamos. Además, nos comunicábamos con seres que estaban en niveles superiores al nuestro, y ahí fue donde cometimos el error. No sé cómo ocurrió exactamente, no sé qué fue lo que lo desencadenó, sólo conozco las causas. Había buenos atlantes y también había malos atlantes que utilizaron mal el poder. Hacia el final de la fase de la Atlántida, los seres atlantes encontraron maneras de asegurarse que todavía tenían contacto en el plano terrestre. Construyeron una pirámide, pero lo más importante fue que construyeron la Esfinge, para tener maneras de alcanzar el centro de la Tierra. En otras palabras, los atlantes necesitaban tener lugares en los templos para la transmutación de la energía y poder así manifestarse en el plano físico. Cuando todos los templos antiguos hayan perdido su poder, entonces el dominio atlante dejará de existir. Cuando la Atlántida se destruyó, muchas personas comprendieron que el fin estaba llegando, como pasa siempre al final de un ciclo. Y entonces se aseguraron de poder entrar en el futuro, si deseaban hacerlo. Puesto que habían conseguido un control absoluto de sus cuerpos astrales durante su propia civilización, mientras pudieran establecer un lugar de vínculo, podrían influir en el orden mundial.

Los atlantes eran expertos experimentando muchos niveles, aparte del físico, y sentían fascinación por los diversos planos de manifestación. Soltaban su equilibrio físico original y su disfrute del cuerpo, porque valoraban los planos no-físicos más que los físicos. Intentaron quedarse con el poder de los dioses. Lo único que queda de su influencia es que participan en el equilibrio de la Tierra por medio de la pirámide y la Esfinge, y están muy implicados en los ritos iniciáticos, como los que se practicaban en Egipto.

Mena está sosteniendo el escarabajo que los atlantes le han dado y dice: «Has aprendido a llevar la energía a la fuente de poder y a diseminar la fuerza en la tierra vegetativa. Has vuelto a recoger la energía del estado vegetativo y la has llevado a tu corazón, y ahora estás preparado para hablar desde el corazón».

Le respondo tal como me han enseñado. «Recibo mi *ka*, que ha estado en un jarrón en el Bajo Egipto.» Estamos en el Alto Egipto, en el Templo de la Luz, y Mena acaba de pasarme mi corazón. Esto quiere decir que, debido a mi trabajo y a mi obediencia, ahora recibo a mi Yo Superior, mi *ka*, que ha sido alimentado y nutrido por muchos seres. Mena me inició en Giza cuando yo tenía catorce años y ahora tengo veintisiete. Me ha traído aquí por el plano astral para darme la iniciación de Horus. Cuando me encontraba en el centro y él entró, estaba tan desorientado como yo. Así es como consiguen que hagamos lo que ellos quieren.

Sosteniendo todavía el escarabajo como una patata caliente, Mena se prepara para colocarlo en mi mano abierta. Normalmente, no haría esto ni en sueños. Siento compasión por Mena porque puedo ver que está asustado. Dice: «Te inicié de acuerdo con la orden de Ptah. Sentí en ti algo especial y siempre hago lo que Ptah me indica, porque soy su sumo sacerdote. Ofrecí la iniciación y tú te convertiste en un sacerdote del culto de Osiris». Y ahora siente que me va a destruir si pone este escarabajo de los atlantes en mis manos. Hablo a través de mi uraeus, diciéndole que ponga el escarabajo en mis manos, así que lo hace. Luego me ve convertirme en Horus del Tocado de Oro: veo a través de mi propio rostro como el Halcón y puedo verlo todo; estoy transfigurado.

Le digo a Mena: «Estás resistiéndote a la energía de la Atlántida. Tienes que entender al escarabajo». Ahora, en mi momento de iluminación, me vuelvo hacia mi maestro, porque nunca más veré con tanta claridad. Digo serenamente: «Estás cometiendo el error de todos los maestros. Siempre tendrás más sabiduría que yo, pero no me estás escuchando. Nunca sabrás lo que puedo llegar a ser si no eres capaz de escuchar. Me has subestimado, has proyectado tu miedo en mí cuando yo no tenía ninguno».

Coloco el escarabajo sobre su tercer ojo y escuchamos el mensaje juntos: «Trabajando juntos desde el plano de la luz, la vista se oscurece debido a la cantidad de capas. Las capas están siendo retiradas, pero no todas han desaparecido. Esas capas son el ego, donde la energía siempre es controlada. El escarabajo contiene el secreto de la sabiduría divina. Cuando el escarabajo muere, renace en otra esencia. Cuando esa nueva esencia nace, no tengáis miedo de tener las mismas energías que la nueva esencia. No seréis destruidos por la energía, porque hay gente trabajando con vosotros. Habéis sido elegidos con una finalidad muy especial. Si simplemente permitís que las capas desaparezcan y dejáis que ocurra, no hay nada que temer».

Mena retira el escarabajo de mi uraeus y lo coloca en mi anillo de iniciación. Mena y yo somos iguales como iniciados en el culto de Horus. Como escarabajos peloteros, todos somos parásitos de la Tierra, a la cual podemos nutrir o rechazar.

7

La noche oscura del alma
que entra en la magia

Una vez que estuve completamente encarnado, mi cabeza en las nubes en las esferas superiores fue conectada a mi cuerpo, y luego mis pies me empujaron hacia la bosta. Estas iniciaciones habían llenado mi cuerpo de luz mientras quemaban mi cuerpo físico, sin dejar nada en el corazón del horno. La atracción hacia la conexión con el cosmos me obligó a caer en mis propios pies. Como la raíz de una semilla que penetra directamente en la tierra, el viaje hacia la noche oscura del alma se convirtió en una absoluta necesidad. Necesitaba encender una linterna en lo más profundo de mí, y lo que encontrara sería mi maestro.

Es el año 1208 d. C. Estamos sentados en una cervecería construida en madera a orillas del Sena, al otro lado de la isla que está en el río, la Île de la Cité. Veo antorchas ahí; están construyendo la parte anexa posterior de Notre Dame. Los soldados están derribando y quemando las casuchas antiguas. La catedral es muy bonita. Es tan grande por dentro que me siento muy pequeño. Pero a pesar del poder y la majestuosidad de la iglesia, estamos viviendo una época turbulenta, alocada. Sentado con otros comerciantes planeando el comercio por las rutas de las Cruzadas, siento el mismo impulso que sentí cuando me marché de mi pueblo hace muchos años. No puedo olvidar el hambre y el miedo que vi en los ojos de mi gente antes de irme. La vida me parece injusta. Ciertamente, no me importa en absoluto, pero lo pienso. Aquí, en París, la Iglesia todavía está construyendo esta estructura magnífica para capturar a los ángeles en el aire. En mi pueblo, las nevadas llegaron y congelaron los corazones de la gente, como si el hielo fuese una herramienta del mismo diablo. La helada y las nevadas fueron tan feroces que algunas personas murieron de la peste simplemente para escapar, como si cualquier cosa fuera mejor que morir congelado. Mientras contemplo el borgoña de color rubí en mi vieja copa gruesa y verdosa, me doy cuenta de que me partió el alma ver cómo morían todas las viñas, incluso los árboles centenarios. Los cerdos fueron sacados al exterior y la mujer sabia del pueblo ya no pudo seguir buscando hierbas y raíces. Sí, fue la muerte de mi madre lo que me destrozó el corazón. Después de mi partida, se congeló junto a los carbones fríos y las cenizas de la chimenea. Me dijeron que no se pudo levantar para cerrar la ventana que se había abierto con los crueles vientos.

Pero estos tiempos son distintos, son tiempos de locura. La Iglesia ha decidido detener el cáncer que está creciendo en el sur de Francia. Estuve ahí recientemente; todavía no ha ocurrido nada, pero ocurrirá. La gente se lo impone porque está fascinada con la brujería y con las extrañas ideas místicas provenientes de España y Arabia. Mientras contemplo los incendios detrás de Notre Dame, uno de los comerciantes está diciendo que la Iglesia está infectada desde dentro porque los alquimistas supervisaron la construcción de la catedral. Hay rumores y miedo por todas partes porque están ocurriendo cosas extrañas. Los tiempos están cargados de misticismo y prácticas ocultas, y vamos a ganar dinero con esos cambios de cualquier forma en que podamos hacerlo. La gente entra y sale de España, proveniente de África e Italia, mientras la Iglesia intenta detener lo que están haciendo. Simplemente quieren que el nuevo misticismo y los rituales ocultos cesen.

No me interesa el misticismo porque soy listo, y me sorprende que alguien pueda luchar contra la Iglesia; deben de haberse vuelto locos, por el hambre o algo así. Los dominicos están en medio de todo esto porque son los metomentodo y los políticos de la Iglesia. A nosotros sólo nos interesa hacer dinero durante esta época de inestabilidad, ya que durante las Cruzadas se ganó mucho dinero. La gente está siempre como loca porque no sabe qué ocurrirá a continuación.

Hemos oído rumores de que en el sur de Francia están quemando a las mujeres que tienen ideas extrañas. Esas mujeres están locas, tienen una mirada desquiciada, como la mirada de mi pueblo cuando estaba muriendo de hambre. Para mí, lo único que importa es ganar dinero. Esas mujeres solían tener poder y la gente las seguía. Las mujeres entienden de hierbas y aceites, y eso no gusta a la Iglesia. Esas mujeres detestan a la Iglesia. Están en contacto con la magia de la Tierra, con el viento y con las plantas. No sé qué ocurrirá si la Iglesia las quema a todas, porque en mi pueblo curaban a los enfermos.

Hemos oído decir que en el sur de Francia las mujeres son muy poderosas con la magia de la Tierra. La gente dice que controlan las plantas, los animales, e incluso la lluvia. Nosotros podemos vender mucho cuando ellas tienen el control, porque se ocupan de las necesidades de la gente. Ahora nosotros controlaremos las necesidades de las personas; es mejor así. Después de todo, las mujeres de mi pueblo no impidieron que hubiera una hambruna. Estoy de acuerdo con los dominicos en que esas mujeres son malignas. También debemos tener cuidado con los cantantes y los poetas, porque inspiran a la gente. Hace unas semanas, estaba en la casa de un noble y vi una obra de teatro de misterio, *Chrétien de Troyes*. Esos misterios son muy peligrosos. Vuelven loca a la gente, y es mejor que la Iglesia controle a las masas. Así podremos organizar las cosas. Algunas personas creen que la Iglesia está haciendo cosas malas, pero yo estoy de acuerdo con la Iglesia. Deberían matarlos a todos, si eso es necesario para acabar con ellos.

Sin embargo, hay algo que me molesta de todo esto. En lo más profundo de mi ser, sé que estoy defendiendo que se mate una parte de mí. Pero está bien matar una parte de mí para escapar del aburrimiento. Me encantan los productos que encuentro para vender. Me encanta viajar por todas partes y estar en el centro de las cosas. Cuando siempre hay algo nuevo me siento vivo. Después de todo, por primera vez, una persona puede ser así de rica sin pertenecer a la realeza. Ahora, encuentro que mi amigo ha cambiado. Está preocupado. Todo le parecía bien hasta que empezaron a quemar gente, pero no estoy de acuerdo con él. Después de todo, yo no estoy quemando a nadie. Realmente ha hecho que me ponga furioso. Dice que nuestras actividades matan a la gente y nos matan a nosotros mismos. Dice que prefiere dejar de comerciar en el sur de Francia, antes que ser un asesino. Me siento mal por las mujeres y los niños, pero no puedo hacer nada al respecto, así que no me preocupo. De hecho, cuanto más me preocupa lo que está ocurriendo, más trabajo. El que ha sido mi amigo durante todos estos años, desde que nos marchamos del pueblo, era también mi amante, pero ahora nos hemos separado.

La locura se extiende como la peste. La gente corre por las ciudades dándose latigazos y dicen que cada vez están quemando a más personas en la hoguera. La gente va a ver cómo las queman, pero yo no lo hago porque hay miedo en mi corazón. Tengo la garganta hinchada por los fuegos y el hedor de carne quemada. No voy a mirar. No voy a mirar. Cuando estoy sentado en el despacho de mi tienda en Marsella, entra una mujer llorando, pidiéndome ayuda, sólo porque sabe que soy rico. Está demasiado sucia como pasar junto a mis telas y quiero que se vaya, ¡fuera! Mi mayordomo la saca a empujones y ella se golpea la cabeza. Abre mi puerta de un golpe y grita mientras mis hombres le tiran del pelo, tiran de su vestido. Los detengo y digo: «No, ¡soltadla! ¡No la agarréis!». Ella emite unos gritos penetrantes y cae hacia adelante, aterrizando en mi mesa de trabajo, con las manos agarrándose al borde. «Usted puede detenerlos», grita, «lo único que tiene que hacer es pagar a los dominicos. Si no lo hace, la quemarán. Es mi niñita, sólo tiene doce años, y usted tiene el dinero. Puede pagar a la Iglesia. Si usted no les paga, quemarán a mi niñita».

No siento nada. Como si mi corazón estuviera en las cenizas húmedas y el carbón de la cocina junto al lugar donde murió mi madre, congelada durante días, no siento nada. Mis hombres la agarran de los hombros, la sacan fuera y la lanzan al exterior por la puerta. Ella quiere cuarenta florines, que es lo que yo gano en una hora. Pero es que son demasiadas. Si lo hiciera, vendrían montones de mujeres inmundas en harapos a rogar por sus hijas. De repente, un rayo de luz blanca atraviesa mi cabeza entre las cejas. Me agarro la cabeza como si estuviera teniendo un aneurisma. Mis músculos pierden fuerza mientras caigo sobre la mesa. Extrañamente, los hombres no se mueven. Mi consciencia como profeta hebreo hace su entrada, de la época en la que yo decía a la gente cómo debía vivir. En aquella época, dejé atrás a mi propia esposa y a mis hijos en cuanto la luz de mi misión se apoderó de mi alma. Ahora estoy aquí otra vez, como un comerciante medieval, y se me ofrece otra oportunidad. Pero no hago nada. Me desmorono en mi silla pidiendo un poco de brandy, porque tengo miedo de tener un infarto. Mi corazón late a toda velocidad y está palpitando, y no quiero ir más lejos con esto. Aun así, sé que debo ir a ver a esa niña ardiendo que tengo dentro o seré condenado a rechazar el corazón durante toda la eternidad.

Ahora soy un anciano y todavía vivo en mi casa. Ahora que soy viejo, tengo sentimientos. Pensando en las diferentes cosas que ocurrieron en mi vida, retrocedo hasta la época en que quemaron a la niña. En aquel día fatal, me quedé un rato en mi despacho, preocupándome por mi corazón mientras elegía brocados de Florencia. No podía deshacerme de la experiencia, así que fui a la plaza donde había un gran árbol talado. Había una hoguera alta llena de haces de leña listos para ser encendidos. Todo ello vuelve a mí como si volviera a estar ahí, la gente gritando como animales sin alma. Oigo un grito débil por encima de la muchedumbre, un sonido débil, como el de un pajarito herido. Están trayendo a la niña, agarrándola de los hombros, mientras los harapos se van rompiendo y dejando al descubierto su carne. Esta es la niña pequeña: veo cómo contienen a su madre. Cinco o seis hombres la están sujetando y riéndose. La niña grita emitiendo el sonido más sobrenatural que he oído jamás. Llevan a la pequeña roñosa y harapienta a través de la muchedumbre, y cuando pasan cerca mí, ella se vuelve y veo su rostro. Miro horrorizado esa bella carita misteriosa, con unos ojos hermosos y una piel blanca muy bonita. Sus ojos son como carbones ardientes que se quedan mirando fijamente el rostro de mi alma. Sé que estoy dejando que mi alma muera por la indiferencia, por el temor a sentir el fuego en mi corazón.

Ay, dios, he visto ese rostro antes, y me invade el terror. Busco desesperadamente veinte florines en mi bolsillo, pero no he traído dinero para que los mendigos no me lo quiten. Vuelvo a mirar ese rostro y mi alma se da cuenta de que es el rostro de mi propia hija, de la hija que tuve hace mucho tiempo en Tracia. Pero ahora soy un comerciante y no lo entiendo. Corro hacia ella y agarro a los hombres que la llevan a la hoguera. Ellos ven mi buena ropa y parecen estar decididos a detenerse, pero un dominico empuja con fuerza a uno de ellos. Susurra con una voz áspera: «Es el diablo, es el diablo», y vuelven a arrastrar a la niña. Los campesinos desquiciados ven que voy bien vestido y se ponen furiosos. Uno de ellos arranca un anillo con una piedra preciosa que llevo en el dedo y casi me rompe el nudillo, de modo que ahora temo más por mí mismo que por la niña. Otro me agarra de la garganta y empieza a estrangularme. Puedo sentir cómo gorjea mi garganta y el dolor es insoportable. ¡Alguien me clava un puñal en el corazón! Creo que lo siento, pero en realidad es el sonido de ese pajarillo lo que está apuñalando mi corazón. Tengo mi propia daga; vuelvo a oír gritar a la pequeña mientras las llamas queman su carne y me clavo la daga en mi corazón. No quiero volver a tener una vida, nunca más. Estoy tendido en el suelo, sintiendo el calor y las llamas, y alguien me patea en el costado de la cabeza. Eso es todo lo que recuerdo.

Lo que es fundamental aquí es la decisión de no volver a estar completamente vivo como ser humano nunca más. Más adelante, regresaremos a la verdadera muerte física del comerciante medieval. Esta gran herida kármica –y todo el mundo tiene este tipo de heridas– fue tan monumental que únicamente el hecho de aceptar una intensidad absoluta más adelante hizo que la sanación fuera posible: fue necesario derramar muchas lágrimas para sanar este asesinato. Nuestros estados emocionales irradian a nuestro alrededor, atrayendo hacia nosotros a personas y situaciones que nos proporcionan oportunidades para aprender. Esta encarnación es el momento para el regreso de la hija interior, para mí y para todas las mujeres de mi época. El hecho de llamar hacia mí a este bloqueo kármico central ocurrió muy tempranamente en mi vida como Barbara.

Me siento tan densa que siento que me estoy convirtiendo en piedra. Estoy asustada, muy asustada. Mi alma ha decidido que ha llegado el momento de pasar por la experiencia de esta vida que tuvo acceso a todos los viejos traumas: la castración romana, la quema de la niña, la violación de Lidia y la vida apática y pueril de la mujer victoriana. Todas esas vidas estaban haciendo que sintiera como si mi cuerpo fuera de piedra, y por eso me ahogaba, intentando respirar, durante los ataques de asma en mi infancia.

Estoy de vuelta en mi más temprana infancia en esta vida y me están arrojando contra una pared. Cuando mi padre de acogida durante la guerra me tira contra la pared, caigo al suelo con un ruido sordo. Mi cuerpo es liviano, como la niebla gris, y no siento nada. Pero lo único que tengo es mi cuerpo, el asiento de mi consciencia y la chispa de mi alma. El hecho de que sienta las cosas o no las sienta depende de lo que yo desee. Soy consciente de que cuando era un comerciante medieval no habría quemado a la hija interior si mi alma hubiese estado en mi cuerpo. Lo peor es que en aquella vida no tenía ningún libre albedrío, porque no me importaba nada. La apatía es el peor trastorno emocional, porque hace que los demás te utilicen para sus necesidades; imaginan que estarás mejor si al menos haces algo. Por ejemplo, los dominicos fueron utilizados por el Papado, del mismo modo que yo fui utilizado como sacerdote egipcio. Así seguirán siendo las cosas hasta que cada persona sea autónoma.

Aspasia era autónoma, valiente, y estaba llena de poder. ¿Qué hay en Aspasia que ofrece el secreto de la totalidad? Pronto experimentaremos más de sus poderes, pero ahora necesitamos un poco de integración, después de todas las experiencias narradas hasta el momento. El secreto para tener una vida plena es la interconectividad y la interdependencia. Si yo hubiera tenido conocimiento de la matriz de mi alma en el siglo trece, no habría quemado a mi hija interior. Este es el verdadero secreto en mi historia ahora: volver a una vida anterior y aprender algo que no aprendiste en ese momento realmente modifica las pautas de memoria holográficas en todas tus células para toda la eternidad. Esta es la libertad que te ofrece tu alma. Este es el motivo por el cual Sócrates dijo «conócete a ti mismo», y es así como uno sale de la rueda del karma. Los lugares de piedra pesada dentro de nuestras células están bañados en las lágri-

mas sanadoras de la tristeza genuina; las células se limpian y entonces la fuerza cósmica creativa las llena de luz blanca. Yo había llegado a un punto en el que, si podía encontrar amor y confianza en una sola persona, mis células se limpiarían para toda la eternidad. Ahora, volvamos al comerciante medieval que yace herido en el suelo, delante de la hoguera de la bruja.

Estoy en la cama y mis dos hombres están cuidando de mí. Alguien me sacó de entre la muchedumbre. No fallecí entonces, pero quería morir. Todo esto me recuerda mi vida en Roma, cuando ya no quería seguir viviendo. Ya no me importa ni el oro ni la plata. Aquel grito se llevó todos mis deseos, los extrajo de mí. Quiero echarle la culpa a los tiempos, como hice en Roma. Son estos tiempos horribles los que succionan la vida extrayéndola de mí, pero en realidad no me lo creo. Yo creé mi realidad, la cual provocó mi castración y la muerte de mi fuerza masculina. Y soy la causa de que hayan matado a mi hija interior. Más adelante, cuando vuelva a haber una época de caos histórico, no me cerraré y no me convertiré en una víctima. Esto es lo que aprendí durante mi muerte...

De pie en un carruaje abierto con forma de caja y dos grandes ruedas, veo que el caballo empieza a ir demasiado rápido. Tengo unos setenta años y estoy bastante débil. No suelo conducirlo yo mismo, y ahora no consigo controlar al caballo. Estamos dando tumbos peligrosamente. La rueda derecha choca contra el lado de un muro y el carro se sacude violentamente. Todo ocurre muy rápido y salgo despedido con mucha fuerza. El caballo no puede correr y se alza sobre sus dos patas, y la barra lateral en el carruaje me golpea la cabeza. Muero instantáneamente y me elevo unos seis metros por encima del lugar donde mi cuerpo está tendido en la calle. En el momento del impacto, tuve la sensación de quedar sumergido bajo un fluido. Estoy tendido sobre un costado y mi cuerpo está destrozado. Cuando lo miro, me doy cuenta de que estoy muerto, y eso no me altera ni lo más mínimo. La gente en la calle está conmocionada y horrorizada. Cuando muero, la mayoría experimenta el miedo a su propia muerte, pero eso no me importa en absoluto. Echo una última mirada y luego ¡ZUM!, me voy directamente hacia arriba. ¡ZUM!, abandono el planeta y luego la atmósfera. La luz es blanca y después azul. Todo el cielo tiene el hermoso tono azul del huevo del petirrojo y el aire es húmedo, delicioso y fascinante. Algo más arriba está pulsando, vibrando, y a medida que me voy acercando vibra cada vez con mayor rapidez. Entro en el centro y, cuando lo hago, pierdo la esencia de mi ser físico.

Evaluando mi vida como comerciante, tuve que aprender que cuando hago daño a otra persona me hago daño a mí misma. Fue una época en la que tuve que aprender que ser humano es conocer todos los niveles de la humanidad. Entonces aprendí a consultar el plano causal en todas las situaciones para asumir el control total de mi propia consciencia. Esa vida me ayudó a comprender que estaba motivado por los deseos, no por verdaderos sentimientos. Controlado por la codicia, me parecía fácil provocar dolor en otras personas mediante mis respuestas apáticas a la vida. Ese fue el motivo por el que mi amante acabó dejándome. Eso me hizo ver que la única manera en que puedo llegar a las personas apáticas es intentando apelar a su Yo Superior, pero es cuestión de hacerlo en el momento adecuado. La gente sólo está abierta durante algunos momentos, aunque le gustaría estarlo todo el tiempo. Experimentar la vida del comerciante fue un golpe profundo para mi ego. Habría creído que durante el siglo trece estaría estudiando con santo Tomás de Aquino o con Alberto Magno. En lugar de eso, ¡estaba en el mercado vendiendo pieles y baratijas! Es interesante que fuera tan inútil, lo cual, ciertamente, era una respuesta apropiada a mi vida romana anterior. Sin embargo, realmente aprendí a proteger mi trasero en esta vida, mientras que el romano simplemente dejó que todo le ocurriera.

Fuera como fuese, mi pauta básica del alma ha sido trabajar con la luz. De modo que, tras mi encarnación como el comerciante medieval, se me dio un respiro en los reinos angélicos. Lo que descubrí en los reinos celestiales fue de lo más curioso porque, después de esa vida de intenso dolor, había llegado el momento de experimentar el tiempo y el espacio como esféricos. No hay caminos lineales en el universo; solamente parecen ser así.

Estoy en un templo de luz dorada y nubes suaves, pero también estoy en el plano físico en forma de ángel. Estoy en dos lugares a la vez. Vivo en la luz dorada como el Sol y luego desciendo, como estoy ahora en el espacio abovedado en la parte superior de una catedral del siglo seis o siete en Gaul. Veo unas paredes negras de pizarra con dibujos. Tengo una información muy especial que debo transmitir, porque he estado presente con mucha frecuencia en el plano terrestre como espíritu, como ángel. Como ángel que soy, soy un ser mental e influyo en las mentes de las personas. Esta iglesia es muy antigua y fue construida cerca de un manantial sagrado. La energía aquí arriba es divina. Hay lugares en la Tierra en los que la energía es excelente. Durante la Era de Piscis acudía frecuentemente a las iglesias, porque estaban construidas en antiguos lugares sagrados. Nosotros, los ángeles, venimos aquí cuando la gente empieza a cantar, porque nos encantan los humanos. Puedo sentir lo que se siente siendo humano, ya que en ocasiones yo también lo soy.

Podemos hacerles algunas cosas a los humanos si queremos. Podemos entrar en sus mentes y cambiar sus pensamientos, o entrar en sus cuerpos para hacer que se sientan bien, pero sólo si ellos desean que lo hagamos. Si no me quieren, no puedo hacerlo. Los humanos pueden estar con nosotros mientras se encuentran en la Tierra, si es que todavía son capaces de recordar cuando fueron ángeles. He intentado entrar en los humanos que no me quieren, pero no puedo hacerlo porque sus cuerpos son como de piedra. A veces reorganizamos las células en sus cuerpos para hacer que se sientan mejor, para hacer que se llenen de luz y se sientan bien y sean felices. Yo soy radiante y ellos son densos. Cuando infundo su densidad con mi brillo, sienten un espíritu y se transforman y cambian. Hay muchos ángeles aquí, y algunas personas tienen más ángeles a su alrededor que otras. Las personas espirituales son las que más ángeles tienen a su alrededor. La mayoría de la gente se limita a sentarse en la iglesia y pensar en su casa, en sus hijos, en la comida y en la bebida. Las personas espirituales sienten intensamente la presencia angélica porque han aprendido a no estar todo el tiempo pensando. Al mirar hacia abajo y ver el conjunto de personas que está en una iglesia, vemos que algunas de ellas realmente son toda luz blanca. Entramos y salimos de ellas como el viento cuando dejan de pensar y se convierten en luz blanca, atrayendo magnéticamente nuestras esencias espirituales. Habiendo pasado por muchas etapas en sus encarnaciones, algunas se han vuelto expertas en entrar en niveles superiores de consciencia. Nosotros gravitamos hacia ellas.

Estas conexiones son gravitatorias y magnéticas. Somos atraídos naturalmente hacia la luz y luego intentamos magnetizar a aquellos que no tienen tanta luz. Podemos leer la luz de una persona basándonos en los colores que hay a su alrededor. Observa conmigo al hombre que está en la iglesia con una nube negra y roja alrededor de su cabeza: está enfadado. Todo es tan frío a su alrededor que no podemos llegar a él, y no intentamos hacerlo. Solamente un sanador de la Tierra puede llegar a una persona que es roja y negra. Nuestro trabajo consiste en magnetizar a aquellos que pueden ser atraídos. Aquí, en la iglesia, las personas están más receptivas que en el exterior, porque han venido con la esperanza de tener este contacto. La gente no piensa en cosas espirituales cuando está en el mercado. Los que tienen más luz son los niños. A ellos los visitamos con más frecuencia, especialmente a los más pequeños, a los bebés. Algunos bebés brillan con tanta fuerza que casi nos ciegan. Cuando llegan a los siete años, la mayoría de ellos empieza a perder la luz, mientras aprenden a usar su voluntad. Esta complejidad nubla temporalmente su luz interior. Cuando son lo suficientemente mayores como para poder elegir verdaderamente, entonces pueden rechazar la luz. Nosotros trabajamos mucho con los niños pequeños para llenarlos con nuestra luz, para que la reconozcan más fácilmente cuando estén experimentando las crisis de la voluntad. De lo contrario, el encanto angélico se perdería en la Tierra.

Este es un tema complejo. Me gustaría mostrarte cómo funciona, porque es muy importante que los humanos sean conscientes del mayor aliado que tienen a su disposición: la fuerza angélica. Paso a una época posterior en una iglesia, buscando a algún ser humano que pueda enseñar lo que es la fuerza. Salgo volando y ahora estoy flotando por encima de una pared de roca en un lado de una iglesia gris de piedra que está sostenida por unos contrafuertes toscos de unos tres metros y medio de altura. Hay una repisa o un banco en la parte inferior de la pared y ahí está sentada una persona que lleva puesta una capa gris. Veo la capa y el cuerpo sentado con las piernas cruzadas, pero no puedo ver la cabeza porque estoy muy, muy alto. Esta persona me atrajo aquí con su magnetismo. Yo estaba dando vueltas y girando ahí arriba, y fui atraído. El hombre se pone de pie. Lleva puesta la capa y un sombrero que parece una corona de lana. Leeré su mente para vosotros, si queréis.

«¿Debería ir a la cueva de cristal? Si voy a la cueva de cristal, entonces tendré el poder. Cuando tenga el poder podría correr peligro de ser contactado por fuerzas poderosas, peligrosas. Pido luz para estar protegido cuando entre en la cueva de cristal.»

Soy atraído magnéticamente porque este hombre necesita mi luz para hacer algo. Desciendo y floto por encima de su hombro derecho, cerca de su sombrero, como un ángel de la guarda. Su sombrero está finamente confeccionado, es de terciopelo y está hecho en tres partes, y su capa de lana casi toca el suelo. Me siento fusionado con su mente y él sabe de mi presencia. Alejándose de la vieja pared, camina hasta la parte delantera de la vieja iglesia en ruinas donde ahora sólo hay escombros. Deteniéndose junto a una verja desvencijada, el hombre mira por encima del hombro, hacia la distancia. Abre la verja, que conduce a unas zarzas muy crecidas y gruesas encima de las rocas. Cerrando la verja detrás de sí, avanza unos doce metros por este sendero que va junto al costado de la iglesia. La iglesia está encaramada en un risco de piedra caliza en una ladera, y él está debajo del risco, donde están todas las zarzas. Trepando por el lado de la colina, se agarra a las raíces para no caer. Después de avanzar nueve metros más, ve la entrada a la cueva. Le estoy protegiendo y me gusta; me siento como alguien a quien le han dado un trabajo después de haber estado mucho tiempo desempleado.

El hombre se interna un poco en la entrada de la cueva, entre rocas y piedras, y entonces el terreno cambia. Está húmedo y verde por el agua que gotea. Hay unos reflejos brillantes de cristales negros, morados, blancos y amarillos en los lados y en la parte superior. Se percibe un olor extraño, como de azufre; un olor sofocante. El hombre avanza un poco más y se sienta en el suelo de arena gris fina de la cueva. Hay un manantial delante de él y el agua cae en

Comme un gryphon viendra le Roy d'Europe
Accompagné de ceux d'Aquilon,
De rouges & blancs conduira grande trouppe.
Et iront contra le Roy de Babylon.

MCMXCVI

una pequeña charca en las rocas. Bajo la superficie de la charca, que es como un espejo, el fondo de cristal emite luz. El agua sale en un chorro delgado por la derecha y llega hasta algún lugar en la cueva. Me pregunto qué quiere conseguir el hombre aquí. Parece estar muy afectado por algo. Cruzando las piernas y poniendo su capa sobre sus rodillas, se queda mirando fijamente el muro de cristales en la parte posterior. Hay cristales blancos en el centro, que se extienden en forma de abanico y se vuelven morados y de amatista en los lados. Algo está ocurriendo en la mente del hombre. Yo estoy en su mente y algo cambia. Él puede ver la charca que tiene delante y los cristales en la parte posterior, que se extienden en forma de abanico, pero después los lleva al interior de su mente, la cual se convierte en una imagen de la charca. Cuando el hombre se fusiona con las formas cristalinas, yo empiezo a girar. Él se queda mirando fijamente a la charca de cristales que está en su cerebro y ésta se torna brumosa. Empieza a salir vapor y bruma de la charca, y entonces puedo ver las imágenes en su mente mientras él las ve en la bruma.

La primera era... ya ha desaparecido. Era una criatura verde, roja y blanca, como un grifo. El hombre ve un grifo. La siguiente es el cuerpo de un grifo visto desde un lado, no su rostro: es un grifo blanco. Luego ve a una mujer de pelo rubio, y la mano de un hombre sostiene una cimitarra. La cabeza de ella está sobre un bloque de piedra, y unas personas la están sujetando. Mientras el hombre que tiene la cuchilla le corta la cabeza, ella lo mira. Luego traen a otra persona, un chico joven, y lo colocan ahí. A continuación, un hombre lo decapita. Siguen trayendo a otras personas, una detrás de otra, y las cabezas van cayendo a un lado.

El hombre que está contemplando esto es Nostradamus. Algo extraño ocurre en su cerebro: hay pequeños «clics», como si él fuera una cámara que va registrando lo que ve. No siente ninguna emoción mientras lo registra todo en gran detalle. Registra la ropa y la fecha. Estamos en el siglo quince. Esto es importante para él. Por algún motivo, hace un «clic» mental del momento y la identidad de las personas.

Entonces, Nostradamus ve un ancho río en el que se refleja la luz de la luna. Unas personas están cruzando furtivamente y en silencio en unos barcos grandes de madera en los que hay entre cincuenta y sesenta hombres; algunos tienen remos. Los atestados barcos atraviesan el río y los hombres se bajan en el otro lado con la mayor rapidez posible.

Nostradamus los está observando, consiguiendo detalles e intentando obtener la fecha. Esto es sumamente curioso. Es un historiador. Es muy extraña la forma en que quiere saber dónde, cuándo y qué está ocurriendo. Es como si estuviera contemplando una pantalla de cine, obteniendo toda la información que puede. Otra imagen llega rápidamente.

Con él, veo una Biblia. Y justo después de ver la Biblia, veo ejércitos y soldados, montones de soldados y caballos: una gran escena de batalla. La imagen de la Biblia significa que se trata de una guerra religiosa. Cuando veo la imagen, no me gusta. Anoto mentalmente para mí mismo que esto es típico, que haya una guerra por la Biblia. No me gusta en absoluto, pero él simplemente está buscando detalles. Los caballos y los soldados son franceses, franceses o alemanes. Tiene lugar en el Continente, pero parece ocurrir en una época posterior a la de Nostradamus, quizás en el siglo dieciséis. Todos los soldados llevan puestas unas camisas rojas abombadas y unas armaduras negras en sus cuerpos, y tienen escudos y espadas. Los caballos están decorados con cuero y latón. Él siempre ve guerra. Llevan banderas en el frente. Hay una que es roja y tiene la imagen de un león, un león dorado con dos peces en la parte inferior. Otra de las banderas es azul con líneas cruzadas en diagonal y una corona dorada. Eso es todo lo que consigo ver.

Es el año 1592 d. C., y los ejércitos que veo están en Holanda o Bélgica, en los Países Bajos. He venido aquí para ver algo que tiene que ver con el trono inglés y con Felipe de España. Él se casó con María Estuardo; ella ya ha fallecido, pero él todavía está presionando a Inglaterra. He venido para ver el futuro de Felipe de España. Los Caballeros Templarios me han pedido información, porque les pertenezco. Quieren saber qué va a ocurrir, para poder actuar política y económicamente por adelantado. Ellos obtienen toda la información que pueden antes de poner su energía y su dinero al servicio de la luz. Tienen muchísimo oro que pueden llevar a la corona de

Francia. Sus alquimistas hacen oro, el cual luego ellos utilizarán si es necesario.

Ahora salgo de la mente de Nostradamus y regreso a mi consciencia angélica. Como puedes ver, la vibración angélica entra completamente en la consciencia del aparato mental de cualquier ser en el que penetra. La consciencia de Nostradamus es sumamente visual, muy profética e histórica, de modo que eso es lo que vi en su mente cuando entré en él. Su mente estaba muy abierta a mi consciencia, así que lo experimenté plenamente.

Soy diáfano, y si te dejas llevar hacia mi vibración, me sentirás en tu cerebro. Tarde o temprano, como le ha ocurrido a muchos místicos, podrás sentir mi presencia por la forma en que afecto a tu cerebro, y podrás cultivar mi naturaleza que habita dentro de ti. Si lo haces, empezarás a funcionar más allá del tiempo y el espacio y reaccionarás de una manera distinta al sufrimiento que conlleva el hecho de ser humano. Mi conciencia divina te hará consciente del significado y el propósito del sufrimiento. Desde esta perspectiva, serás sabio. Si todo esto te parece fantasioso e irreal, recuerda a los delfines, los ángeles del reino animal.

8

El *Argo* pasa por las Simplégades

En 1963, cuando yo tenía veinte años, un doloroso dualismo se manifestó entre mi generación y la de mis padres. Estábamos muy ocupados creciendo y explorando lo que significaba ser humanos, mientras que unas expectativas sin sentido acerca de cómo se suponía que debíamos ser eran proyectadas en nosotros. La generación de los mayores, que se suponía que debía guiarnos, había perdido su credibilidad al crear un enorme disparate: la bomba atómica. La destrucción en mi pueblo fue incluso más inevitable para mí. Prácticamente todas las especies de peces, ranas, aves y animales pequeños que yo había amado siendo niña casi se habían extinguido. Sencillamente, no había ninguna escapatoria; mi generación tendría que desarrollar nuevas herramientas de supervivencia. Lo haríamos en secreto, porque sabíamos que toda la sociedad estaba decidida a destruir al niño o la niña interior. Sin embargo, yo era esa niña. Crecimos en medio de un holocausto genético. Mi respuesta fue transmutar el campo por medio de una iniciación, creando un cambio holográfico de las estructuras celulares fundamentales. Ahora, visitemos otra vez a Ichor, el buscador de la transfiguración.

Estoy en Giza durante mi iniciación como sacerdote de Osiris. Soy alto y muy delgado. Mi grueso cabello rizado está cubierto con un gorro apretado que hace que parezca calvo y llevo puesta una falda blanca con un grueso cinturón de oro. Mi pecho está descubierto. Estoy tendido en un sarcófago de basalto y tengo catorce años. No puedo ver a Mena porque estoy en el cajón, pero percibo exactamente dónde está. Acaban de cerrar la tapa del cajón de piedra, que encaja a la perfección.

Hay una oscuridad absoluta, pero yo estoy irradiando luz, de modo que a mí no me lo parece. Empiezo a sentir una energía absolutamente abrumadora que está entrando por todos los lados. Es como estar enchufado a un generador eléctrico, pero he sido entrenado físicamente para tolerarlo. Cuando estoy preparado, empiezo a sentir como si estuviera flotando. Mena se asegura de que el aire que necesito entre a través de la piedra. Aún así, me pregunto si voy a morir de alguna manera. Una parte de mí tiene que morir para que yo pueda vivir de una nueva forma. Puesto que soy un sacerdote de Osiris, mi chakra de la raíz debe estar cargado para que yo pueda manifestar la fuerza de la Tierra y absorber un mayor magnetismo del que normalmente es posible. En el nivel personal, Mena está modificando mi cuerpo astral, trabajando en todos mis órganos internos con rayos que cambian el tejido básico de mi ser. No estoy seguro de si estoy dentro de mi cuerpo en el cajón mientras él trabaja en mí. Siento que mi *ka*, mi Yo Superior, se está yendo a alguna parte, a un lugar que no puede ser revelado. Mena está haciendo nuevas conexiones en mi cuerpo físico, que es donde se concentra mi consciencia.

Mi cuerpo también está en contacto con los planos superiores, de modo que mi impresión holográfica también está siendo movida. La membrana aracnoides que rodea mi cerebro y mi columna vertebral separa mi cuerpo físico de mi Yo Superior. Está turbia e infundida con partículas de luz blanca azulada que irradian a mi cuerpo físico. Mi chakra de la raíz carece de sensaciones suficientes como para contener todos los niveles de conciencia en el plano terrestre, por lo tanto, mi *ka*, mi doble, no puede encontrar un sitio en mí. He desarrollado niveles de consciencia más elevados, pero debo establecer un vínculo fundamental con el plano terrestre. Cuando lo haya hecho, podré manifestar, crear realidades, que es la más grande habilidad humana. Cuando todo está conectado, podemos manifestar nuestros pensamientos como acontecimientos. Nosotros, los humanos, a diferencia de otras criaturas, podemos modificar las realidades simplemente con nuestros pensamientos; podemos cambiar el plano físico generando ideas desde el plano etérico. Los atlantes, por ejemplo, construyeron la Gran Pirámide utilizando sus mentes para aligerar y transportar las piedras.

Nosotros demostramos los poderes de nuestras mentes por dos razones. Primero, porque eso hace que nuestro trabajo sea mucho más fácil. No puedo imaginar construir una pirámide de ninguna otra manera. Segundo, lo hacemos para una verificación oculta. Los humanos son capaces de muchos actos mágicos en el plano físico, pero no lo saben si no lo experimentan ellos mismos. Nosotros, los sacerdotes egipcios, recibimos nuestra formación principalmente mediante la verificación oculta. Si estudias los mensajes que dejamos para vosotros en las paredes de los templos, especialmente en Abydos, verás que los humanos pueden convertirse en, y manifestar cualquier fuerza, y crear cualquier realidad con el pensamiento. Nos enseñan a mover piedras viéndolas moverse. Este entrenamiento está reservado a los sacerdotes porque estos poderes pueden ser usados para el bien o para el mal. Nuestra educación más intensa se centra en el campo de la ética, con el fin de que tomemos las mayores precauciones para utilizar estas habilidades sólo para el bien. Una vez que hemos conseguido la verificación oculta, el conocimiento celular se encarna durante la iniciación. Al final, si los seres superiores ven que uno de nosotros es un buen instrumento, se nos otorga el poder de crear con nuestros pensamientos. Este poder se da a muy pocos: es la iniciación de Horus.

En este momento, Mena está trabajando con mi cuerpo físico y en mi cuerpo de energía para otorgarme poder para el trabajo de los dioses a través del Faraón. Mi cuerpo, como cualquier cuerpo humano, tiene defectos: pequeñas bolsas de resistencia que me impiden estar despejado y manifestar mi divinidad. Cualquier ser humano es capaz de llegar a niveles superiores, pero pocos llegan a saberlo, porque no son éticos. Para la mayoría de las personas, es amenazador saber que cualquier cosa es posible simplemente usando la mente, porque entonces tendrían que asumir la plena responsabilidad de aquello en lo que piensan. Si supieras lo que hay en las mentes de las personas, ¡sufrirías una conmoción!

El cuerpo de la Esfinge es nuestro guía. La existencia misma de la Esfinge tallada en antiguas capas de roca demuestra lo que quiero decir acerca de la verificación oculta. Saber cómo fue tallada la Esfinge es la llave para acceder al pleno potencial humano. Simplemente ponte delante de ella y deja que tu ser total abrace su existencia. Si puedes recibirlo sin juzgar, entonces serás un vidente. Las paradojas y los acertijos desaparecerán en la noche egipcia cuando encuentres el león de tu alma. Las claves son la posición del cuerpo de la Esfinge, la dirección hacia la que mira y el hecho de que es medio animal, medio humana, como el centauro Quirón.

Continuemos con la iniciación. Estoy tendido durante mucho, mucho rato, mientras Mena entra y sale de mis órganos haciendo que vuelvan a vibrar en su estado natural, y entonces recibo una increíble sacudida por toda mi columna vertebral. Comienza poniéndose en marcha en mi chakra de la raíz y luego asciende por mi columna, saliendo por la coronilla de la cabeza. La energía que entra en mi centro llega desde los 360 grados; las sacudidas son continuas. Me he preparado para esto durante mucho tiempo; de lo contrario, la energía me destruiría. Es la energía eléctrica que resuena en lo más profundo de mis huesos, haciendo vibrar mi cuerpo con ondas de baja frecuencia. Me pregunto cómo se producen estas sacudidas continuas. Cuando esto acaba, la energía que sube por mi columna vertebral es sumamente placentera. Siento unas oleadas de calor ondulante que van descendiendo por mi columna desde la coronilla de mi cabeza hasta la parte inferior de mis pies. Estas ondas verticales miden unos quince centímetros entre pico y pico, y son bastante palpables.

Mena está muy triste durante toda la iniciación, porque él preferiría iniciarme en un nivel superior de servicio, pero tiene que seguir las instrucciones que recibe. Ser sacerdote es ser obediente. Le dijeron que me iniciara en el rito de Osiris, el cual me alinea con Osiris durante esta vida. Soy consciente de que serviré al culto de Osiris durante toda mi vida. A Mena no le gusta la conjuración sacerdotal que está determinada por mi formación. Del mismo modo en que yo pude entrar en la mente de Nostradamus siendo un ángel, puedo elevarme por encima del sarcófago que está en la Gran Pirámide y viajar a los Registros Akásicos. Quiero conocer la conspiración que hubo contra mí durante mi vida como Ichor. Esto es lo que dicen los Registros:

«En esa vida eras el segundo hijo de Amenhotep II y su reina. Tu hermano mayor era Horus, que reinó durante aproximadamente treinta y siete años tras la muerte de Tuthmosis III. Era ocho años mayor que tú, y los dos compartíais la misma estructura psíquica. Tu hermano insistía en que recibieras la misma formación que él, porque temía los poderes de los sacerdotes de Amún. En aquella época era inusual que los otros hijos del Faraón recibieran la misma formación. *Ichor* significa "sangre de los Dioses" en griego: por eso llevas ese nombre. No podemos revelar tus otros nombres.

»Horus era experto en la clarividencia y la adivinación; sabía que no tendría hijos y tenía la intención de que tú pudieras asumir el poder en algún momento. Aprovechó varias manipulaciones del templo, pero desde que empezó a controlar el trono, tú fuiste considerado su talón de Aquiles. Hubo una revuelta en el templo que fue reprimida por los líderes, pero los sacerdotes de Amún en Tebas te maldijeron. Esto hizo que enfermaras, hasta el punto de que casi mueres. Horus, un Maestro, eliminó esa maldición para mostrar su superioridad sobre las manipulaciones del templo. Ejecutó a los sacerdotes que participaron en ello y desmontó el templo para siempre. Su culto murió porque ellos reaccionaron excesivamente a la batalla entre Horus y Seth y porque se obsesionaron con el bien y el mal, la oscuridad y la luz, y negaron el caos: Seth.

»Ellos hicieron que te volvieras impotente y estéril, de modo que fuiste iniciado en una secta célibe que transformaba la energía sexual en rituales de fertilidad. Más adelante, esas luchas en el templo tuvieron como resultado la toma de posesión y la corrupción del linaje por parte de Amenhotep IV, quien cambió su nombre por el de Akhenatón y trasladó la ubicación de los templos bloqueando la simiente de Min. Tú fuiste elegido para llevar la cosecha durante cuarenta y nueve años. Esta tarea te disgustaba. Moriste seis años antes que tu hermano para asegurar que no llegarías al poder durante esa vida, porque habrías sido ineficaz. Como esencia de sacerdote durante esta encarnación, canalizaste energía transformadora para el reino; así, posees ese poder a lo largo del tiempo. El que una maldición de una vida anterior pueda regresar depende de si eliges que ocurra o no. Si te permites ser atraído hacia viejas lecciones otra vez, podrías tener acceso a dicha maldición. Nosotros creamos este tipo de realidades para nosotros mismos mediante lo que tenemos en nuestras mentes.»

Ichor siendo yo –esa encarnación no fue muy feliz. Fui arrastrado al servicio del templo, algo que me disgustaba, y presentía que la línea dinástica estaba condenada. No podía imaginar ser otra cosa que no fuera un sacerdote. En el siglo veinte, cualquier hombre o mujer puede aspirar al sacerdocio, pero pocos tienen una idea de hasta dónde, y cuán profundamente, llegan las raíces sacerdotales. Mucho antes de Ichor, las órdenes de sacerdotes y sacerdotisas se encargaban del bienestar del planeta. Quiero retroceder en el tiempo para recordar las diversas maneras en que satisfacemos nuestras aspiraciones más elevadas: ser cocreadores con las fuerzas que están más arriba. Al viajar hacia atrás, acabo en un lugar muy extraño. ¡Estoy en la punta del cuerno de un unicornio! Luego me manifiesto como sacerdote de Enoch.

Soy grande, con un tórax redondeado, y me brillan los pies. Llevo puesto un cono de plata, con bordes levantados, que descansa sobre un ala ancha. Los sumerios llevaban unos cascos similares. Debajo, mi pelo es castaño, ensortijado y no muy largo, y soy calvo en la parte posterior del cráneo. Mis rasgos son grandes y carnosos, con una nariz prominente y ganchuda, labios gruesos y los dientes completos. Llevo puesta una larga capa blanca que se recoge en mis hombros con una cadena de oro. Mi capa es de lino y está finamente tejida, y debajo de ella llevo puesta una túnica ligera sobre mis pantalones. Estoy solo en la cima de una colina. Un disco de quince centímetros flota en mis manos e irradia rayos ultravioletas. ¡Tiene vida propia! El unicornio hizo este objeto conmigo. Pongo mis manos debajo de él para mantenerlo delante de mí mientras estoy de pie, firme, manteniendo mi posición fuertemente con las rodillas. De lo contrario, girará descontroladamente.

Me sobresalto continuamente mientras lucho con esta cosa frenética. Intento controlarla con mi voluntad, y emite un sonido zumbante. Está trayendo pensamientos de otras mentes que están en otros lugares para mí, a través de mis manos. Esta es una transmisión, pero no sé cómo traducirla. Así es como recibimos las palabras de los dioses. Estoy recibiendo luz blanca del tamaño de un gran huevo cósmico que entra en el centro de mi disco y luego irradia hacia todas partes. El disco es un transformador que convierte la energía eléctrica en campos magnéticos zumbantes. Estoy intentando controlar bolas de relámpagos que prácticamente me están sacando fuera de mi colina. Estoy haciendo que los dioses conecten con mi disco. Sin tocarlo, mantengo las manos justo debajo del disco mientras la luz irradia a su alrededor. Esto es como estar justo al lado de un cortocircuito entre dos cables de alto voltaje. La fuerza entra en mi corazón y desciende hasta mis pies; luego asciende por mi columna vertebral y vuelve a salir por la parte superior de mi cabeza. Debo permanecer cosciente, o perderé mi lugar en la punta del cuerno del unicornio.

La luz conecta con el disco y la energía se invierte y desciende por mi chakra de la coronilla, pasa por mi tercer ojo y entra en mi cuerpo. ¡Qué conmoción! Es la involución de energía de Elohim, los dioses. Siento la energía en mis manos, como si pudiera formar el huevo cósmico o sanar un alma. Es maravilloso. Ahora, la luz y el disco no pueden destruirme, porque la luz de los dioses está en mis manos. Eso es lo que significa ser completamente humano. Estoy de pie con la energía fluyendo hacia mi interior, hacia mi corazón y volviendo a salir hacia los dioses a través de mis manos. La energía de la luz está ahora en un campo más grande. El disco ha desaparecido y la esfera de luz ahora es radiación difusa que se emite desde mis manos, todavía conectadas a los dioses. Esto es lo inefable, que puedo expresar:

«Somos lo mismo, somos uno, y no hay barreras o transmisores. Siempre se puede llegar a nosotros con energía conectada que irradia. Hablamos a los corazones que conocen lo inefable desde el principio. Me conozco a mí mismo sólo cuando tú me conoces; existo cuando tú me conoces en tu corazón. Puedo ver por tu tercer ojo a aquellos que me conocen en el corazón. Puedes oírme en tu mente por el zumbido que está en lo más profundo de tu centro. Escúchame en las profundidades de tu ser y siente mis vibraciones cuando estoy dentro de ti».

Ahora estoy de pie, sin sostener nada, en el Monte de la Transfiguración, mientras la fuerza continúa. Entra en mi columna vertebral y luego en mi corazón, donde se derrite. Cuando entra en mi corazón está caliente, y la conexión se establece a través de mis dos manos. Ellas transmiten junto con el corazón, formando una trinidad que es recibida como unidad. Mi tercer ojo habla de lo inefable:

«El nivel de lo divino es el nueve. Si recibes el nueve como uno, los dioses no pelean en tu corazón. Has hecho tu ocho después de recibir la energía en los siete chakras para estar en el nivel del nueve, lo inefable. Yo soy Enoch, el sacerdote de Enoch».

El día en que hice mi ocho fue la primera vez que conocí lo inefable. Ese día había ascendido a mi montaña sintiendo ansiedad en mis manos porque había fallado en una sanación. Para sanar, muevo la energía por mi cuerpo, y acababa de terminar de trabajar en unos bloqueos por los que no conseguía pasar. Estaba ardiendo en mi corazón por mi impotencia, cuando en lo alto vi un hermoso unicornio hembra. Caminé lentamente hacia ella, que estaba detenida en el camino, esperándome. Cuando me acerqué, primero me atrajo hacia su ojo. El tiempo y el espacio se alteraron mientras yo giraba en torno al ojo, como si viajara en una espiral mítica. Inmediatamente después me vi en la base de su cuerno de oro, avanzando en espiral hacia la punta. Mientras ascendía en espiral, sentí una energía magnética en todo mi cuerpo. Miré hacia la parte superior de la espiral, que era como la espiral del sombrero sacerdotal en forma de cono, y vi mi ocho. Vi a través del ojo de la unicornio que yo solo no podía sanar. Únicamente podía sanar si tenía a mi ocho como la base del triángulo formado de mi corazón a mis manos. Entonces mi Dama Maestra desapareció.

El aspecto más confuso sobre el hecho de eliminar los bloqueos es
la incapacidad del cuerpo de volver a equilibrarse cuando nuevos

niveles de fuerza fluyen hacia sus células. A menudo resulta difícil vivir plenamente en la realidad actual mientras la profundidad interna se está revelando. Cuanto mayor es la diferencia entre lo que se siente dentro y lo que está ocurriendo fuera, mayor es el estrés. En ocasiones esto es abrumador, y entonces uno se retira. Para mí, el retiro nunca fue una opción. Cada vez que atravesaba otra barrera, era impulsada hacia nuevos vórtices de energía. Cuando absorbí mi iniciación de Giza en el rito de Osiris y recuperé mi energía sanadora al encontrarme con mi unicornio, entré en espiral en una charca interior más profunda. Esto sólo lo podía encontrar lanzándome en caída libre a lo desconocido. A menudo, mis grandes avances tenían lugar en cuerpos masculinos, pero las revelaciones siempre tuvieron lugar en encarnaciones femeninas, y la integración final fue andrógina. En cuanto hice mi ocho y viajé a través de los bloqueos del cuerpo interior, la Diosa estaba esperando con su maíz...

Soy yo, Aspasia. Me gusta ser grande. Estoy de pie en una escalera de piedra en el patio trasero de mi casa, y ha llegado la hora. Me demoro un rato más para reunir mi poder. El cielo sobre el océano todavía brilla porque el sol se está poniendo y sólo ha aparecido la estrella vespertina. Extiendo los brazos lo máximo posible hacia fuera para aceptar la energía de la Diosa y cierro los ojos mientras mi cabeza se adormece. El viento mueve ligeramente mi túnica y hiela mis muslos mientras oigo una voz lejana que me llama para que vaya a Creta, el lugar sagrado interior. Cruzo los brazos sobre mi pecho mientras mi conciencia entra en mi corazón y veo el ojo del Halcón de Oro resplandeciendo hacia mi ser. Estoy preparada.

Entro en el patio interior, donde muchas personas me esperan. En el patio interior de mi templo hay un estanque de agua poco profundo que refleja el cielo nocturno; veo a Júpiter y a Saturno cerca de Venus en su superficie. Las gruesas columnas de madera alrededor del círculo interior están iluminadas con ámbar que arde en unas conchas. La gente está sentada en el suelo delante de mi banco de piedra, esperándome.

Yo... no sé qué está ocurriendo... Jamás he sido arrastrado de ese modo por la consciencia... así que levanto la mano para indicarle a mi criada, Lucía, que se lleve a Dacia y a mi hijo del templo. Ahura me mira confundido y yo muevo la mano para indicarle que debe quedarse. Me dejo llevar como un delfín en una marea alta nadando bajo las Pléyades, y me suelto en mi necesidad. Mareada y confundida, camino de aquí a allá delante de la gente, y una luz blanca entra en mi cabeza y en mi pecho. Aprieto los puños con fuerza mientras la luz entra en mi tercer ojo como un rayo láser; es chocante. Jamás me había sentido así, con una fuerza tan abrumadora. Tengo que aceptar todo esto. Las personas sentadas en el suelo que me observan son todas distintas y la mayoría viste ropajes muy burdos. La mayoría son hombres con largas barbas, con pieles de animales y unas cintas en la cabeza pues son jefes tribales. Algunos son jefes militares, y Ahura los conoce a todos. Vienen de lugares lejanos, principalmente desde el norte hasta Heligoland y desde el este hasta el río Pharis. Todos tienen diferentes tonos de piel, algunos de ellos muy morenos. Anclo la luz con todo mi cuerpo magnetizado y entro en un profundo trance, para que las voces puedan fluir a través de mí como el viento. Sólo soy un instrumento.

· «Este mensaje llega a ti desde el Kabbieroi, desde las tablas de Orichalcum. Escucha ahora, para que puedas conocer el mito de las eras. Primero notarás los cambios con Basilea. Luego Venus temblará cuando percibas pulsaciones de las Pléyades, las hijas de la Atlántida que fueron desterradas al cielo hace muchos siglos. Quirón te contó la verdadera historia de los orígenes de las estrellas. Quirón está ahora en los cielos, porque Cronos y Urano son los guardianes. ¡Escucha y estate atenta! Pronto llegará el momento en el que un cometa aparecerá en el cielo, enviando luz a la Tierra. Recuerda que el volcán tiene dos nacimientos: la fuerza fertilizadora, el contenedor de la semilla cósmica. Como el útero maduro de una mujer joven que espera ser fertilizado, que atrae irresistiblemente al falo hacia su hogar, también el volcán atrae la fuerza celeste hacia los reinos de Plutón. De lo contrario, la Tierra estará estéril, pero ay de los que estén en la Tierra cuando ésta sea fertilizada por el cielo.

»Debéis prepararos. Las mareas serán caóticas, los vientos terribles y el gran monstruo del cielo parecerá ser el que ya conocéis de los mitos antiguos, pero no lo es. Esto empezará con la erupción

del gran volcán que cae hacia el océano, haciendo que éste se levante e inunde la tierra. Se abrirán grandes fisuras, tragándose tanto a hombres como a bestias. La tierra se ondulará y rodará, e incluso los dioses no sabrán cuál es el mar y cuál es la tierra. La civilización será restos de la tormenta en la playa. Pocos sobrevivirán y la escritura y el arte serán destruidos. Durante miles de años, el mundo creerá que los minoicos no tienen un lenguaje escrito. Los animales gritarán al morir mientras bebés pequeños caen al suelo. El sufrimiento de las madres por la muerte de sus bebés será peor que el dolor de los niños. Los peces saldrán del mar y serán arrojados a tierra, los animales serán lanzados a las aguas y de los cielos lloverá un fuego que destruirá todo lo que quede. Las islas se inundarán, los ríos retrocederán y el mar se moverá de aquí allá como si fuera sopa en el tazón de un gigante. Incluso Tritón invertirá su corriente. Tú, Aspasia, deberás vigilar el lado oscuro de Basilea, el lado oscuro de la Luna.

»Cuando veas el cometa por primera vez, que será pronto, sabrás que el momento se acerca. Entonces observa a Basilea cuando el cometa entre. Cuando el fuego del cometa ilumine el lado oscuro de la Luna, una serpiente picará al profeta, Mopsés. Todo va a ser caótico, todo el mundo tendrá miedo y las hordas serán muy peligrosas.»

Mi visión llega a su fin y toda mi energía se agota. Levanto la cabeza y veo los rostros de la gente petrificados por el horror. Aunque vivimos de una forma sencilla, somos avanzados en nuestro pensamiento y no podemos imaginar un acontecimiento así. Estamos todos conmocionados porque yo jamás había tenido una visión así antes. Normalmente me limito a trazar cartas de los ascensos de las estrellas para ayudar a los líderes a tomar decisiones y nos reunimos para hablar de los acontecimientos y analizar las predicciones. En el pasado, cuando he tenido una visión he acertado, de modo que la gente está pasmada. Yo estoy tan sorprendida como ellos. Inicio una discusión de grupo para determinar si alguien más ha oído hablar de una profecía como ésta. ¿Alguien ha visto u oído alguna señal de un acontecimiento como éste?

Un hombre que ha venido de los bosques del norte da un paso adelante para hablarme de las señales que ha visto. Dice que los cisnes no regresaron a los lagos en abril, que las águilas no están anidando, que las ovejas están estériles este año y que unas serpientes horribles, que nunca antes habían visto, están llegando a los pueblos desde las cuevas. El sacerdote de Araxes, que vino aquí porque oyó que Jasón y los Argonautas estaban llegando desde el oeste, sugiere que el mensaje del oráculo secreto de Febo predecía un cataclismo. Una mujer de Adrino que viste una capa gris y parece estar anormalmente agitada avanza hacia delante. Dice que este año ha habido demasiados niños que han nacido muertos y bebés con defectos de nacimiento. Ella llevó a un bebé que nació con tres ojos a los altos precipicios y ahora tiene miedo de mirar a la Luna. Cuatro o cinco hombres empiezan a hablar entre ellos de cosas extrañas que han ocurrido con sus animales durante este año. Han encontrado animales muertos en los campos y animales que han nacido muertos con defectos de nacimiento.

Una imagen muy perturbadora emerge mientras caminamos. Acordamos no repetir lo que hemos oído y que todos estaremos alerta a las señales. Lo que yo he dicho es aceptado como el futuro y, ciertamente, estamos todos conmocionados. Se marchan todos. Entonces voy a buscar a mi hija y salimos al patio trasero juntos. El cielo está lleno de estrellas. Le digo que vamos a ver si vemos algún cometa, una estrella con cola. Mientras miramos hacia el cielo, siento miedo; el cielo es un lugar en el que hay advertencias de mal agüero. Los videntes de la Antigüedad enseñaban que una gran luz había sido vista en el cielo antes de la gran inundación. Los mitos antiguos dicen que Thetis vive bajo el mar porque el cielo estaba ardiendo. No conseguimos ver ningún cometa. No le cuento muchas cosas a mi hija, pero siempre le enseñaré cosas sobre el cielo.

Más tarde, cuando estoy a solas, pienso en lo que siento. Ya no tengo miedo. Siento curiosidad acerca de lo que va a ocurrir y la noticia me recuerda algo que sé en mi interior. Si este cometa llega, hará brotar el peor comportamiento en las personas. Primero pensarán que han hecho algo para provocarlo. Luego pensarán que el Templo les ha fallado por no haber hecho suficientes sacrificios a los dioses. Incluso ahora, hay muchísima tensión en nuestro mundo minoico. Los sacerdotes culparán a la Diosa por lo del cometa y luego la gente irá en pandillas y hará saqueos. Entro en mi sala de representación, donde trazo mis mapas del cielo, desenrollo mis pergaminos con mapas de las estrellas y calculo dónde estarán los planetas en un futuro cercano. Luego hago un viaje hasta las profundidades de mi alma, porque lo que he recibido me ha agitado. Puedo saber qué es este cometa y, en las profundidades de mi ser, escucho una voz:

«Desde la Primera Era, el calor dio vida a las criaturas: fuego
Desde la Segunda Era, el aliento dio vida a las criaturas: aire
Desde la Tercera Era, la sangre dio vida a las criaturas: agua
Desde la Cuarta Era, la carne dio vida a las criaturas: tierra»

Me quedo dormida recordando las antiguas historias del dragón: el destructor, el maestro de la pequeñez de la humanidad. Siento el recuerdo interior y, entonces, un conocimiento toma forma. Se está creando dentro de mí un espacio para una nueva fuerza.

9

Adivinación enochiana, druida y traciana

Es el final de la tarde. Mientras me muevo por el tiempo a través de un túnel para encontrar un receptáculo más profundo en mi interior, no estoy segura de si estoy yendo hacia delante o hacia atrás. Simplemente me dejo caer suavemente: he llegado tan lejos que ya no puedo volver atrás.

Caminando por el sendero, soy yo, el sacerdote de Enoch. Hace un tiempo bastante frío y húmedo, unos dieciocho grados; normalmente aquí hace más calor. Estoy descendiendo de la Montaña de la Transfiguración, dejando atrás mi disco sagrado. Los escalones que bajan por la montaña son empinados. Veo un arco redondo abajo: no está permitido que nada que esté hecho por el hombre pase por ese arco. Paso por el arco caminando y puedo ver la ciudad. Únicamente los sacerdotes de Enoch pueden descender por estas escaleras. Mientras desciendo, estoy solo. Hay un largo camino elevado delante de mí, con casas blancas de dos pisos a ambos lados. La gente vive en la primera planta, mientras que la segunda son unas cúpulas elevadas. Todos los techos son azules por dentro. Puedo ver las colinas ondulantes a mucha distancia, mientras que en la ciudad las casas están todas muy juntas y ondulan con el terreno. Ocasionalmente, una cumbre rocosa con unos pocos árboles emerge en medio de las estructuras de piedra. Detrás de todas las casas puedo ver el mar.

Esta ciudad está densamente poblada y es maravillosamente tranquila. Estoy bajando por el sendero en dirección a la pirámide de

cuatro lados, que tiene unas escaleras que ascienden por el centro de sus caras. Es muy antigua y tiene nueve niveles gastados, como si el agua hubiera erosionado sus bordes, que solían ser afilados. Mucho más allá de esta pirámide hay una enorme zona de mareas, una hermosa marisma que da al mar. Unas aves de grandes alas sobrevuelan la ciudad, la marisma y las colinas. Ésta es la Atlántida después de la primera inundación y antes de otras inundaciones que llegaron posteriormente. Los edificios más grandes son clásicos, con columnas y frontones, y son muy gruesos y sólidos. Las construcciones más pequeñas son unas chozas redondas con pequeñas cúpulas. Estoy caminando por el camino de los dioses, donde sólo los sacerdotes pueden caminar: la gente no. Este camino es la calzada elevada que sale de la Montaña de la Transfiguración, el antiguo templo de la pirámide sagrada de antes de la inundación. Nosotros, los sacerdotes de Enoch, caminamos por el sendero para mantener la buena energía, y mientras lo hacemos la gente medita con nosotros. El pueblo rinde culto a los dioses cuando trabaja y nosotros entretejemos sus plegarias mientras caminamos. Esto facilita la sincronicidad, que es la base de nuestra cultura sagrada.

Avanzo un poco más y llego a la pirámide, que tiene miles de años de antigüedad. Nuestro templo está ubicado al lado de ella. Cuando llego al final del camino, siento la energía en mi nuca. Nuestro templo tiene unas columnas dóricas rectas y gruesas en la parte delantera. Adentro, el espacio es pequeño y cuadrado. La luz entra a través de una ventana con forma de medialuna que se encuentra más arriba de las columnas y cae en el suelo. También entra luz a través de dos cristales rectangulares que están detrás de las columnas. Esta es una celda monástica. La habitación de delante tiene dos bancos de piedra y un fuego que arde eternamente en un pequeño agujero en el centro del suelo. Mi dormitorio está detrás de esta habitación que da al pequeño jardín trasero.

Tengo treinta y siete años y he elegido ser célibe. La mayoría de los sacerdotes han tenido anteriormente esposa e hijos y luego tomaron los votos sacerdotales después de los cuarenta años. Estamos en el año 5000 a. C., y esta ciudad, Heligoland, está cerca del Mar del Norte. Nuestro templo es una de las pocas estructuras que han quedado en pie después de la inundación y la pirámide estuvo parcialmente bajo el agua hasta hace unos años. Volviendo a la época en que la pirámide estaba recién construida, viajo en el tiempo hasta este lugar antes de la inundación...

Viajo a toda velocidad por un túnel del tiempo. La pirámide es angulosa y nueva; ya no está estropeada por el tiempo y el clima. Tiene nueve niveles, con cuatro aberturas a dos tercios del camino ascendente en los cuatro lados en la parte superior de las escaleras. Estoy desorientado porque acabo de ser lanzado hasta muy atrás en el tiempo. Esta pirámide es para iniciaciones, pero ahora no está teniendo lugar ninguna iniciación, de modo que puedo echar una mirada. No hay tantos edificios como los que veíamos en el año 5000 a. C. La gente vive en pequeñas chozas y esta es una ciudad marinera. Me muevo en un pequeño vehículo que es como un coche deportivo que vuela. Se mueve como un pequeño *jet* y tiene tubos en la parte inferior que lo propulsan desde atrás mediante el chorro de aire que pasa a través de ellos. No utiliza combustible. Circulamos sobre ciertas líneas en el cielo porque el vehículo funciona con fuerza magnética. Agarrando el volante semicircular por ambos lados, puedo hacer que vaya rápido o lento utilizando mis pensamientos. Está hecho de un metal similar a la plata y tiene unas alas de 3,60 metros de longitud a cada lado. Estoy solo en mi máquina y hay otras personas volando por el cielo. Llevo puesta una túnica atada en mi hombro derecho y soy un comerciante. Comerciamos por todas partes y somos muy civilizados. A veces viajamos por el agua en una pequeña lancha rápida que funciona con el mismo sistema que este vehículo.

Voy a viajar a nuestra ciudad más grande. Me muevo con rapidez por una zona libre justo por encima de la superficie del mar, acercándome a la cuidad. Rodeada de una enorme muralla, la ciudad es como una fortaleza. Cuando empiezo a divisar las murallas, ¡veo que está en ruinas! ¡No sé por qué he venido aquí! Esta es mi colonia, Calceón, a cuarenta y un grados latitud norte, y ha sido destruida. Quedan algunas personas intentando sobrevivir. Otras se han ido; han partido hacia Centroamérica, África, Italia, Irlanda, a otros lugares que ya no existen en este planeta y a Heligoland. Calceón era la ciudad más grande. La gente se fue a Centroamérica cuando este lugar fue destruido, y también construyó pirámides con nueve niveles. Nosotros manifestamos energía en el plano físico trabajando con las pirámides. Las pirámides alquímicas son planas en la parte superior, mientras que las pirámides de iniciación tienen punta. Las personas no viven en las pirámides (si lo hicieran se pulverizarían), pero podemos guardar alimentos en su interior. Yo vine a Calceón para conseguir metal porque en la isla principal no lo hay. Aquí funden los metales a través del astral de las partes planas de las pirámides alquímicas y luego los utilizamos en el plano físico.

Al viajar por todas partes pensando en transportar metales, me siento liviano. De todos modos no soy muy denso, así que podría estar en otra dimensión. No estoy seguro de si estoy realmente aquí: podría estar viajando a través del tiempo. Sea como fuere, siento curiosidad por estos metales; hay algo interesante en su densidad. Mi cuerpo vibra con mayor rapidez que ellos, así que los metales son difíciles de comprender. Sin embargo, puedo manipularlos y darles forma con mi cerebro. Este metal es pleyadiano, pero también usamos oro, plata, zirconio, titanio, astronium y litio (que también es un gas). No hacemos aleaciones de metales porque no queremos mezclar las vibraciones: ello provoca una mala energía. Además, los sacerdotes alquímicos no podían mover las aleaciones a través del astral; únicamente metales puros. Quizás hacemos las aleaciones después de trasladar los metales. No lo sé.

Todos los niveles de densidad me parecen peculiares. ¿Qué es esto? No estoy tan denso como soy normalmente. De hecho, si junto las manos, ¡pasa una a través de la otra! Todos los otros seres humanoides que hay por aquí tienen distintos niveles de densidad. Los menos densos son simplemente luz vibrante: seres divinos. Ellos equilibran a otros seres para proteger al planeta del caos y la negación. Mi trabajo manipulando y transportando metales a largas distancias es más difícil que el suyo. Soy alquimista. Mi formación fue larga y ardua, ya que tuve que aprender a concentrar mi mente para modificar los niveles de vibración física. Los seres realmente densos que hay por aquí son sumamente peculiares. Algunos de ellos son completamente humanos, mientras que las quimeras son mezclas de animales y humanos. Los mejores humanos son unas mujeres hermosas que no pueden vernos. Nosotros no interactuamos con ellas y nos gusta observarlas cuando se quitan la ropa. Las quimeras son horribles, tienen miembros y rostros deformes y pueden ser muy fuertes y violentas. Algunas son parte cabra, con cuerpo de perro, o con cuerpo de lagarto, y algunas son medio criaturas de mar. Algunas son hermosas, como los unicornios y las sirenas. Jamás las subestimamos. Me pregunto si son mutaciones.

Esta escena me recuerda a cuando voy a fiestas en las que la naturaleza animal de las personas es visible. Puesto que normalmente me aburro en las fiestas, a veces abro mi vista astral para ver la esencia de cerdo, de gallina, de lagarto o de vaca: es como visitar el bar de La Guerra de las Galaxias. *Cuando hago esto, mi cerebro funciona en un solo canal, lo cual me permite ver las facetas de sus personalidades. Esto hace que me resulte muy fácil averiguar cómo actuarán a largo y a corto plazo.*

No somos esencialmente sólidos; simplemente ocurre que estamos programados para pensar que lo somos. Entretanto, los niños juegan a hacer pasteles de barro para encontrar un espacio vacío en su interior. Al perderse en sí mismos mientras hacen algo sin ningún motivo, se deslizan hacia otras dimensiones. Cuando yo era pequeña y jugaba con barro, sabía que nada estaba fijo en el tiempo y el espacio. Mirando fijamente a la lámpara en una mesa, podía ver cómo de ella irradiaban unas líneas. Entonces se manifestaban formas geométricas de luz en sus superficies y yo me iba a otros lugares durante horas. La física moderna sostiene que hay más espacio dentro de los objetos físicos que materia, ¡pero nadie se lo cree! Acompáñame a un plano que nos lleva a la nada viajando al interior de un cristal de cuarzo con el druida.

Estoy dentro de un cráneo humano. Todo aquí está hecho de oro resplandeciente y el suelo es de granito morado y está lleno de líneas de energía que van hacia el centro. Siento que la gente ha estado caminando sobre estas piedras durante miles de años. Cuando Lucca y yo entramos, cuarenta sacerdotes de la Tierra nos observan. Lucca y yo siempre trabajamos juntos para canalizar, ya que yo soy el que recibe y él es el que envía. Estamos en el solsticio de invierno y llegamos tarde. Los sacerdotes llevan mantos de muchos colores, y cuando Lucca y yo llegamos están proyectando una energía potente hacia el centro. Caminamos alrededor del círculo central hasta que nos colocamos uno frente al otro, separados por una distancia de aproximadamente nueve metros, con el altar en el centro, entre nosotros. Hay un pasillo alrededor del círculo, detrás de las columnas que nos rodean, y los sacerdotes están caminando por él. Dejamos caer nuestras capuchas sobre nuestras espaldas y los dos estamos desnudos, a excepción de los pesados mantos hechos por el dios que está en el centro de la Tierra.

Empiezo a ver doble mientras las imágenes proyectadas en el suelo entran y salen de otras dimensiones. Una película está siendo proyectada en un pantalla de moléculas en el centro. Es así como visualizo mis sueños, de modo que esto me distrae muchísimo. Me concentro en el centro con Lucca, levanto los brazos lentamente mientras atraigo el poder de la Tierra con mis manos y dirijo las palmas hacia el centro. La fuerza sale disparada a través del centro y llega hasta Lucca. Su poder se encuentra con el mío simultáneamente y el fuego en el altar se extingue. Una figura azul de luz se manifiesta ahí donde había estado el fuego, irradiando una luz que aumenta su intensidad. Llena toda la caverna del templo con una luz blanca azulada pulsante, potente. Siento el poder de la manifestación en los centros superiores de mi cabeza, como si mi cerebro estuviera lleno de cojinetes esféricos que se mueven ruidosamente. Siento la energía de la luz blanca azulada por encima de mis ojos, en toda la parte superior de mi cabeza y en la parte posterior del cráneo. La luz quiere salir disparada de mi cabeza.

A continuación, levanto las manos y las dirijo hacia la figura azul de luz que está en el centro, mientras Lucca hace lo mismo. Un arco de luz blanca se manifiesta saliendo de mi cabeza y dirigiéndose hasta la cabeza de Lucca, pasando por encima del centro de la figura de luz azul. Ahora mi visión doble se disipa como un sueño que desaparece al despertar. En realidad, no había ningún fuego en el centro, sólo una abertura en la piedra que iba hacia el interior de la

Tierra. No había colores irradiando por todo el suelo, simplemente estábamos viendo nuestras propias energías. No había ningún oro en las paredes de esta sala, sólo zarzo y pintarrajo. Los sacerdotes no visten mantos multicolor, sino únicamente mantos marrones.

En el centro de la habitación, encima de la abertura que va al interior de la Tierra, hay una bella esfera de cristal de cuarzo, perfecta, que brilla con la luz refractada proveniente del arco de luz magnética que hay entre nuestros centros superiores. Intensificamos ese arco de luz mientras se mueve en largas ondas que son como las ondulaciones que siento en mi columna vertebral. Ahora tengo la conexión con los centros superiores de Lucca. Somos una polaridad porque yo soy negativo y él es positivo; yo soy el que recibe y él es el que envía.

Mientras caminamos hacia el centro, los sacerdotes que están en el pasillo redondo también se acercan. Caminamos con unos pasos rígidos, dados con una concentración absoluta. Mi energía es tan pura, tan directamente poderosa, que no tengo que mantenerla en mi cuerpo. En otras ocasiones ha sido muy distinto. Estamos caminando directamente hacia una red generadora de electricidad, completamente conectados a su energía, pero no recibimos descargas porque estamos muy conectados a la Tierra. Nuestros movimientos son lentos, simultáneos y automáticos mientras nos acercamos al centro. Siento una gran alegría porque la casta sacerdotal no ha cambiado este altar. Es simplemente la Tierra, y no hay nada que se interponga en el camino. Hay un círculo de rocas de aproximadamente treinta y cinco centímetros de diámetro alrededor de la abertura de la Tierra, y la bola de cristal es transparente y perfectamente redonda. Lucca y yo nos dirigimos al agujero y nos sentamos uno frente a otro con las piernas cruzadas y las capas cubriendo nuestras rodillas mientras los otros sacerdotes se acercan y se sientan cerca de nosotros.

¡Ahora tenemos alas! ¡Somos ángeles! El ser angélico que existe en todos nosotros se manifiesta mientras estamos sentados frente al simple agujero en la Tierra que contiene la más magnífica creación de la naturaleza, el cristal puro de cuarzo. Siento mis pesadas alas adheridas a mis omóplatos mientas el oro parece bañar la habitación y unas imágenes giratorias de colores atraviesan el aire y las columnas de oro relucen. El plano etérico se manifiesta en el físico cada vez que entramos más profundamente en el espacio sagrado. Ah, ¡ahora lo veo! Como ser angélico, veo la realidad en el plano etérico, y es encantadora. El oro es la vibración más pura, el contenedor de luz en el plano metálico. Hay tantas dimensiones en esta habitación que es como estar dentro de un cráneo humano. Hacemos copas de oro en los cráneos sagrados de nuestros antepasados.

Ahora, los sacerdotes que están a nuestro alrededor queman incienso, el cual llena la sala mientras nosotros entramos en trance. Siento que la densidad aumenta en mi cuerpo, especialmente en mis brazos. Estamos a punto de empezar a canalizar juntos. La densidad aumenta en mis manos y en mis brazos mientras respiro el incienso, introduciéndolo profundamente en mis pulmones, y siento un hormigueo en el tercer ojo. Estoy cada vez más denso mientras se forma una esfera gris que va de mis manos a mi tercer ojo y luego desciende hasta mis pies. Estamos aumentando la fuerza magnética para poder canalizar. Esto parece tomar mucho tiempo. Ahora he creado una esfera de energía magnética de los lugares más profundos que están debajo de este antiguo templo. La mantengo dentro de mí y la respiro más profundamente, sintiendo como si fuera a estrujar mi pecho y a succionar el aire de mis pulmones, pero no lo hace. Entonces, profundamente, en mi médula oblongata, se forma la idea de viajar hasta el centro de la bola de cristal.

Lucca me susurra: «Los pasajes están en los planos lisos que reflejan luz del fuego en la habitación. La manera de entrar está en los planos. Estamos preparados». Esto significa que Lucca se ha magnetizado para que las imágenes puedan verse en los planos de crecimiento naturales del cristal. Los planos en el cristal son los lugares donde no hay polarización y donde se fracturan en la naturaleza. Me susurra: «entra en el cristal viajando por las líneas en las que los planos de dos superficies se intersecan. En esas líneas, el cristal está magnetizado ahí donde existe un pasaje que conduce al plano etérico. Las líneas de intersección están donde se formó un nuevo plano cristalino en un espacio que era un vacío potencial. En lugar de una fractura en la naturaleza, nació un nuevo cristal, un nuevo lugar de creación».

El arco que estaba entre Lucca y yo ha desaparecido, y ahora hay un arco entre nuestro tercer ojo. Formamos un triángulo isósceles entre un tercer ojo y el otro y la bola de cristal. Los cristales en nuestros cerebros empiezan a hacer ruido. Nos miramos intensamente a los ojos y luego los cerramos. Concentramos la energía magnética que hay en nuestros cerebros en el centro del cristal. Mientras hacemos esto, la densidad magnética abandona mi cuerpo y me convierto en luz blanca pura. ¡Estoy viajando hacia el interior del cristal! Primero entra la intensa luz que hay en mi glándula pineal y después entra todo mi cuerpo en miniatura. Veo una colmena interior de hexágonos de luz blanca pulsante, como los conos que transmiten color y ondas de luz en la parte posterior del ojo humano al cerebro. Las formas tienen seis lados y, como los átomos en la materia, son formas de luz.

Un hombre con una larga barba gris, vestido con una túnica marrón, se acerca a nosotros por detrás y se sienta a mi derecha. Lleva una lámpara de incienso, es muy respetuoso y permanece en silencio. Nada puede romper nuestra concentración. Dice muy bajito: «¿Están preparados, Maestros?». Entonces Lucca coloca su mano derecha por encima la esfera, a unos diez centímetros de distancia. Parece como si la energía que hay en la bola le golpeara mientras pasa la mano por encima de ella. No sé qué está haciendo, porque estoy dentro del cristal, en una tierra lejana de formas geométricas, de luz prismática. Sin embargo, cuando Lucca pasa su mano por encima de la esfera, las moléculas que hay en el cristal empiezan a girar. Ha energizado el cristal para que pueda trasmitir para mí desde los planos superiores. Cuando esto ocurre, quiero golpearme la cabeza encima de los ojos para bloquear un dolor de cabeza cegador, pero no siento ningún dolor. Por eso he sido entrenado tan a fondo (durante veinte años) por la hermandad. Soy el único que puede canalizar la voz. Ahora me encuentro en un profundo estado de trance, más profundo que las veces anteriores.

El hombre dice: «Maestros, les hemos llamado aquí hoy para preguntarles acerca de la Iglesia Romana, que ha contaminado nuestras tierras en el norte de Renania trayendo el culto de Mitra. Los romanos lo recibieron de las tribus del este, y ha llenado a nuestro pueblo de odio y de amor por la negatividad. Ellos violan a nuestras mujeres, queman nuestras casas, roban nuestros alimentos y los corazones de nuestros hijos. Los romanos son opresores, pero esta Mitra es todavía peor. Necesitamos saber si deberíamos atacarlos. Somos el pueblo de los espíritus del árbol, pero mataremos para protegernos. Si los atacamos, ¿nos destruirán? ¿Deberíamos atacarlos inmediatamente, antes de que establezcan más campamentos?».

Es el año 560 d. C. Él me ha hecho una pregunta muy difícil. Sabe que se supone que no debe preguntar esto, a menos que tenga un muy buen motivo para hacerlo. Continúa: «Quiero conocer la respuesta correcta, porque si nos dices que ataquemos, les atacaremos ahora». Lucca vuelve a poner su mano sobre su regazo y me mira con seriedad. He mantenido los ojos abiertos y he estado observando y escuchando. Ahora los cierro y veo muchas visiones en los planos, los planos moleculares en el cristal. Veo un campamento romano y observo para ver cuántos soldados hay y cuántos caballos tienen. ¡Ah! ¡Esto es increíble! ¡Puedo ver cualquier cosa que esté ocurriendo en el mundo ahora mismo! Observo los diversos campamentos que hay en Renania y veo sus cuarteles generales en Roma. Para obtener una respuesta, avanzo veinte años en el futuro, donde veo una terrible pestilencia, hambruna y sufrimiento. Apenas puedo soportar verlo, y no les cuento lo que estoy viendo. Jamás hablamos a la gente sobre el futuro. Conocer el futuro es tener una información privilegiada que se da únicamente a los hermanos para que puedan ayudar a la humanidad. Veo que pronto todo el ejército, todos los romanos, serán derribados por una terrible peste. Ya se está extendiendo en el sur. Todos enferman tanto que ya no pueden oprimir a la gente y regresan a su tierra natal. Lo que veo es que deberíamos esperar, porque los romanos enfermarán y se marcharán.

De modo que le respondo: «No, no ataquen en este momento». Mi visión desaparece y entonces él dice: «Sí, Maestro, no atacaremos en este momento. También necesito saber si perderemos a nuestros dioses si seguimos la religión romana para evitar ser perseguidos. Los soldados romanos nos obligan a adorar a Mitra en las cuevas, mientras que los sacerdotes nos obligan a ser cristianos. Nosotros adoramos a la naturaleza, al dios en los árboles. Nuestros antepasados llegaron aquí primero y se extendieron por muchas tierras. Cuando realizamos nuestras ceremonias, ellos las suspenden. Quieren que vayamos a ver a sus sacerdotes y les paguemos para que nos perdonen nuestros pecados, pero nosotros no hacemos nada malo: ¡ellos sí! ¿Perderemos nuestra religión si hacemos lo que ellos dicen, al tiempo que seguimos manteniendo nuestra forma de pensar?».

Al mirar al interior del cristal, por todas partes veo destrucción de las antiguas prácticas, veo caos, enfermedad y confusión. Respondo: «En épocas de conflicto, debéis manteneros fuertes. No debéis renunciar a vuestras creencias, pase lo que pase. No importa lo que os obliguen a hacer, si tenéis fuerza interior». Pero yo estoy muy confundido con esta pregunta porque estoy desempeñando un doble papel durante estos tiempos caóticos. Oficialmente, soy un sacerdote romano en Renania y, al mismo tiempo, soy un hermano druida aquí en secreto. Desempeño estos papeles para permanecer en el centro del conflicto, para poder verter toda la luz posible sobre cualquier situación dada. Soy un hermano y sirvo en la orden esotérica de los druidas. Sirvo al *Liber Frater*. Los hermanos siempre están por encima de la política o de la afiliación religiosa. Me resulta difícil responderle y no decirle lo que hago para poder hacer frente a estos tiempos difíciles. Pero debe proteger mi identidad a toda costa. Si no estuviera haciendo este trabajo, los tiempos serían aún peores. Así son las cosas durante las épocas de gran peligro.

La capacidad de profetizar el futuro es una carga muy pesada y una gran responsabilidad. Por encima de todo, los profetas deben encontrar la manera de informar a la gente del peligro, pero no pueden revelar lo que saben sobre el futuro. La gente suele temer al futuro y puede beneficiarse de una profecía verdadera que le ayude a fluir con el río del tiempo y avanzar con la corriente sin miedo. Hay mucho que aprender del druida, porque él puede fluir con el tiempo sin temor, independientemente de lo que vea. Llegaremos a conocerle mejor. El gran poder canalizador es un poder receptivo que viene de la parte femenina de nuestra esencia. Podemos ver esto cuando entramos más profundamente en nuestro ser. Podemos preguntar cómo adquirió el druida un talento tan grande para moverse por los planos

*interiores magnetizados de la bola cristalina. La Fuente del druida es
la Diosa, y él fue el primero en reconocerlo. Su capacidad provenía
de la Aspasia interior. Todos nosotros tenemos a la Diosa dentro de
nuestro Ser para ayudarnos a adivinar nuestro viaje hacia el futuro.*

Soy la sacerdotisa del Oráculo de Tasos, en Tracia, que existe desde
hace más de mil años. Ya nadie recuerda cuándo fue construido. Estamos en el año 1546 a. C. y tengo treinta y siete años. Llevo ocho
años cuidando del oráculo y antes de mí había otra sacerdotisa. Ahora mismo estoy muy preocupada porque mi marido, Ahura, dice que
alguien está apunto de atacar este lugar desde el mar. Dice que el mar
está arrojando cuerpos a la orilla, y las sacerdotisas menores dicen
que los pájaros y los árboles lloran por el peligro. Nada puede ocurrirle al oráculo porque es el hogar sagrado de la Diosa. Esto sucede
antes de la época en que yo recibí mi visión del cometa. Ahura es un
soldado nacido en Pelasgia y dice conocer las señales de peligro. Mi
tarea es averiguar si él está en lo cierto o si se equivoca.

Estoy en mi habitación privada en el templo y he calentado una
gran olla de hierro con agua llena de órganos e intestinos de oveja.
Cuando hiervan, observaré el vapor que salga de la olla y veré las imágenes que se forman en él. Hago aparecer una máscara de color blanco y negro: una máscara de guerrero del cuerpo astral de la persona
que mi marido dice que nos va a atacar. Pretendo ver lo que tienen
intención de hacer, lo que van a hacer. He hecho aparecer a Assan,
del este, y está muy sorprendido de estar aquí. Él debe estar en mi
presencia, en el vapor, hasta que yo averigüe lo que está ocurriendo.
Le pregunto: «Assan, ¿atacarás Tasos? ¿O Estagira?». Él me responde:
«No, jamás atacaría Tasos, ni Estagira». Entonces hago que se desvanezca, ya que no me corresponde preguntarle nada más. Informo a
Ahura de que no seremos atacados y él informa a sus soldados.

El oráculo es un espacio sagrado y yo tengo el derecho de hacer
aparecer el cuerpo astral de cualquiera y de hacer preguntas relacionadas con el oráculo. Puesto que soy la guardiana del oráculo, tienen
que contestarme. Si quiero comunicarme con Delfos, simplemente
hago aparecer a una sacerdotisa, le hago unas preguntas y ella me
responde. A menudo, compruebo si todos estamos recibiendo mensa-

jes similares. Mi abuela me enseñó a hacer esto y la mayoría de los hombres no lo saben hacer. La persona a la que hago aparecer lo experimenta como un sueño, y ese es el motivo por el cual sólo me está permitido hacer cierto tipo de preguntas. Cuando hago aparecer a alguien, entro en su mente. Soñar y hacer aparecer el cuerpo astral de una persona son experiencias similares para la persona contactada, y es por eso que los sueños suelen contener mensajes precisos. Este cráneo debe ser utilizado éticamente, porque cuando entro en las profundidades de la mente de una persona, ella no puede detenerme. Esto se usa únicamente como último recurso. La persona a la que contacto ni siquiera sabe que he obtenido alguna información de ella. También puedo viajar en el tiempo si miro fijamente la bruma de los intestinos de la oveja. Este es un poder magnífico y maravilloso. No puedo viajar con mi cuerpo, pero puedo entrar en la mente de una persona desde la distancia. En estos momentos estoy intranquila. He recibido un mensaje de un sacerdote llamado Dionisio de Delfos en el que me dice que debo ir ahí inmediatamente. En mi vapor, veo continuamente un rostro con unos ojos negros intensos, una frente pesada y prominente y una barba desarreglada. Parece ser en parte humano y en parte animal, semejante a una cabra con unos cuernos pequeños en la cabeza. Viste una piel de leopardo. Me dice: «Debes venir a Delfos porque el agua ha dejado de fluir del antiguo manantial. La fuente del Oráculo de Delfos ha fluido desde el principio de los tiempos y solamente dejaba de fluir fue cuando el oráculo estaba siendo leído por los videntes».

«¿Por qué me pides que vaya?», le pregunto. «¿Por qué no va otra persona?»

«Tú eres la que debe venir», replica. «Tu marido no recibió los mensajes correctos cuando dijo que Tasos sería atacada. Él sabe que algo va mal, pero no ha logrado averiguar lo que es. Y ahora tú crees que todo va bien porque Assan te dijo que no va a atacar. Bueno, Assan no es nada. Algo va muy mal entre la Tierra y el Dios del Cielo, y pronto tendrás tu propia visión de lo que se avecina. Si vienes aquí, podrás leer la mente del Dios del Cielo. Yo envié un mensaje pidiendo a alguien que pudiera contactar con el dios del cielo y en mi vapor apareciste tú.»

Tengo que escucharle, así que su incursión es aceptable. Le pregunto: «¿Quién eres? Yo soy también una de las guardianas del espíritu de la Tierra en Delfos, y sólo somos mujeres. No iré a menos que me digas por qué estás ahí».

«He atravesado el velo del tiempo ahora porque un grave peligro me llama», responde.

Busco un cristal de cuarzo en la pequeña bolsa que llevo en mi cadera izquierda. Lo sostengo en mi mano izquierda y lo activo rápidamente con mi magnetismo natural. Luego lo coloca sobre mi tercer ojo y digo: «Horus, ¿tengo tu protección?». Horus replica: «Tienes mi protección. Si no hubieras preguntado por mí, habría ocurrido un gran daño. Has hecho lo correcto porque este es un caso de destrucción sethiana».

Y Dionisio aparece en el vapor diciendo: «Muy bien. Ahora sabes que tienes que tratar conmigo, Aspasia, puesto que Horus está también conmigo».

Entonces ocurre algo extraño. Súbitamente, ya no estoy donde estaba. Estoy en algún lugar con Dionisio, pero no físicamente, porque Horus también está aquí. ¡Estamos en el plano mental! Estamos fuera del tiempo, fuera de lo físico, y podemos ver cosas que normalmente no podemos ver. Me llegan mensajes, pero no los entiendo porque no puedo acceder a nada de la forma habitual. Sin embargo, estoy segura de que corremos un serio peligro. El hecho de que el manantial se haya secado en Delfos es un oscuro presagio; es una señal de que la madre está herida. Ahora, lo importante es ayudar a la gente a pasar por el máximo karma posible rápidamente. Debo prestar el máximo servicio e impartir la mayor consciencia que sea posible. Regreso a mi templo y hago planes para viajar a Delfos inmediatamente.

10

La existencia como forma

*En mi vida actual tuve grandes traumas hasta que cumplí los trein-
ta años. Luego cada trauma atrajo a otros traumas relacionados
con él, de vidas anteriores, porque mi Yo Superior pretende hacerme
entrar en esta encarnación de una forma más plena que en mis vidas anteriores. Nuestros atormentadores son siempre nuestros
maestros, y ahora parece ser que lo que nos atormenta son los tiempos que vivimos. Puesto que he viajado por muchas vidas, he notado que el dolor y el sufrimiento de los demás me hacen tanto daño
como los míos propios, especialmente si les he fallado de alguna
manera. Nuestros pecados de omisión y el sufrimiento que hemos
causado a otras personas nos torturan durante toda la eternidad.
Este viejo dolor kármico vuelve a aparecer en nuestros hijos, en
nuestros padres, en nuestras parejas, en nuestros amigos y enemi-
gos, hasta que el alma ha aprendido sus lecciones.*

*A lo largo de mi vida, ha habido mucha gente que no ha entendi-
do por qué soy la persona que soy, teniendo en cuenta de dónde
vengo. Solamente la historia de mi alma explica quién soy, y lo mismo ocurre con todas las personas. Si intentamos creer que cada bebé es una pizarra limpia, nada tiene sentido. Entonces, ¿dónde está
la esperanza? La esperanza reside en el corazón, en las experiencias
más sencillas y más amorosas de la vida. Ahora entraremos en una
vida llena de amor, una época en la que decidí que realmente quería
vivir, una vida en la que sabía cómo divertirme.*

Soy yo, Erastus Hummel, otra vez... La habitación en la que dormi-
mos es muy bonita, tiene una artesonado de madera tallada y pinta-

da muy ricamente, y hay unas alfombras chinas preciosas en el suave suelo de piedra. Nuestra cama es como una casita, con una cabecera de madera y cuatro postes que soportan un dosel bordado con complicados diseños en seda. El encaje hecho a mano está cosido al dosel y cuelga por los lados de la cama como una bruma de mariposas. El padre de mi esposa nos proporcionó la mejor vida. Esta casa es maravillosa: tiene tres plantas, es muy estrecha y forma parte de una larga fila de casas para ricos en Leipzig. Tenemos un balcón en el dormitorio y nos encanta sentarnos ahí para ver los festivales cuando las calles se llenan de gente. La casa es muy elegante, está construida en piedra y adornada con madera tallada. Y todos los días, al caer la tarde, los sirvientes encienden las chimeneas en las habitaciones y cierran los pesados postigos de las ventanas que dan a la calle.

Estoy atravesando la puerta del balcón y contemplo a mi mujer a través del encaje. Está dormida, con su larga cabellera rubia de color miel desparramada sobre la colcha verde tejida y su sano brazo regordete descansa sobre las sábanas blancas de seda. He venido a casa tarde, como siempre, he estado trabajando, como siempre, pero a ella nunca le importa. Es muy feliz, está muy contenta. Se siente segura. Nunca tengo que preocuparme por ella. Está durmiendo muy tranquilamente. Llevamos poco tiempo casados y ella sólo tiene dieciséis años. Cuando me acuerdo del día en que nos casamos, me echo a reír. Yo tenía treinta y dos años y finalmente estaba preparado para pasármelo bien después de veinte años de duro trabajo estudiando y enseñando. Soy muy conocido y respetado como científico, lo cual ha hecho posible que me case con una mujer de una familia rica, a pesar de que los Habsburgo gobiernan nuestro país. Nos casamos en una iglesia muy ornamentada en diciembre de 1597. Ese día estaba nevando fuera. Ella llevaba puesto un vestido blanco al que habían cosido perlas de agua dulce, y su piel estaba blanca y cremosa. Llevaba el pelo recogido debajo del velo.

Estoy realmente contento; fue un gran éxito conseguirla. Yo era muy ambicioso. Nunca he dejado de trabajar, y ahora puedo disfrutar. Sin embargo, el verdadero motivo por el que me casé con ella no fue su dinero. Me casé con ella porque es verdaderamente libre. Se casó conmigo de buena gana y yo tuve la fortuna de haberla conocido. No era mi alumna. Nos conocimos socialmente y los dos supimos la verdad inmediatamente. La fui a visitar a su casa unas cuantas veces y decidimos que nos casaríamos. Todo el mundo está feliz por nuestra unión, pero yo siento como si hubiera hecho lo que me da la gana y salido impune, como siempre. Y no es fácil avanzar en esta sociedad. Al casarme con ella, mi nivel social subió y el suyo siguió siendo el mismo. Pero la experiencia realmente graciosa que tuve con ella fue cuando fui a su casa para pedir su mano a su padre. Jamás olvidaré aquel día...

Su padre está loco. Me cuesta mirarlo porque veo a un gran conejo corpulento vestido de terciopelo morado. También me cuesta mirarlo porque ella y yo conspiramos en contra de él. Ella siempre hace lo que quiere, lo cual saca de quicio a su padre, pero la adora. Incluso ahora, puedo oírlo diciendo: «¡Er-r-r-ras-s-s-s-tus Hummel! ¿Cómo has podido hacerlo?». Ella está en otra habitación y sé que se está riendo. Él es un payaso, pero es un comerciante muy rico. La habitación es de un tamaño mediano, con bonitas alfombras, y el techo es abovedado. El hombre está caminando de aquí a allá mientras yo sostengo mi gorra e intento no reír. Él no puede hacer nada respecto a nuestros planes, de modo que simplemente está dando salida a su ira. Está haciendo comentarios frustrados sobre la situación en general. Está diciendo: «Aquí estoy yo. He ganado todo este dinero, he construido esta casa, tengo una esposa y tres hijas, y tú vienes y quieres llevarte a la más joven y bonita».

Las otras hijas son sólo unos años mayores. El hombre me permitió ir de visita a la casa porque tenía la experiencia de que me gustaría una de las hijas mayores. Son chicas guapas, pero ésta es la belleza. Su padre esperaba casarla con un hombre rico. Es la más joven, muy mimada y malcriada, pero yo voy a domesticarla. Será divertido, como los otros desafíos a los que me he enfrentado. Soy un Leo y ella es una Aries: será una combinación magnífica porque, según los astrólogos, esta es una buena combinación para el amor. El hombre está frustrado porque sabe que su hija hará exactamente lo que ella quiera. Tendrá que aprender a dejar de ser la favorita y lo hará porque es una bonachona. Y, ciertamente, porque sólo tiene doce años. Es muy joven, pero los dos sabemos que dentro de unos pocos años las cosas estarán bien para nosotros.

Su madre es muy sabia y me aprueba. Sabe que seremos muy felices porque sabe que realmente amo a su hija. E incluso él lo sabe y sabe que no me estoy casando con ella por el dinero. Lo que ocurre es que el hombre había dado por sentado que aumentaría su riqueza arreglando un casamiento para ella, y nosotros le hemos estropeado todo su plan. Y recuerdo con tanta claridad los placeres que compartíamos. Recuerdo la noche que estuvimos juntos después del nacimiento de nuestra primera hija.

Estamos en un sofá reclinable. Ella es exactamente como imaginé que sería; le encanta hacer el amor conmigo. Hemos tenido al bebé y estamos juntos otra vez. Podemos tener relaciones sexuales otra vez, después de mucho tiempo. Nos reímos mucho, contando chistes mientras el bebé yace en una cuna cerca de nosotros cubierta de encajes. Estamos comiendo fruta, bebiendo vino y riendo. Sus pechos están al descubierto y yo los estoy acariciando. Ha estado dando de mamar a la niña, así que sus pechos están grandes. Esto es lo máximo que un hombre podría pedir. Todavía estoy bailando en la corte. Le doy algunas uvas y ella ríe cuando pongo vino en sus labios, y luego la desnudo. Cuando ella abre las piernas y entro en su suave cuerpo, ella se agita con oleadas de placer y yo siento la electricidad en su piel. Estamos excitados e inmersos el uno en el otro. Más tarde, mientras yo duermo profundamente, ella se levanta y contempla el rostro de su hija.

Yo estaba muy feliz con ella y con mi trabajo. Incluso mi muerte fue significativa para mí. Todavía recuerdo el día en que fallecí. Estoy sentado en una silla tapizada en mi estudio, contemplando un instrumento de cobre que está en la estantería, que yo inventé: un gemascopio. En realidad no lo inventé yo, pero lo modifiqué para que los barcos pudieran usarlo para explorar el mundo occidental. Todo se volvió más fascinante durante mi vida mientras los exploradores hacían grandes descubrimientos y se demostró que muchas de nuestras teorías eran correctas. Pero lo que más quería era a mis hijos. Tuvimos seis y yo mismo les daba clases. Me lo pasé estupendamente de principio a fin. Llevé mis ideas a la acción y viví plenamente. Nada podía detenerme: así es como uno debería vivir la vida. Simplemente estoy sentado en mi estudio y la última cosa en la que me fijo es mi instrumento. Estoy en una silla cómoda y me estoy quedando dormido. Creo que esto es todo. Tengo la sensación de ser huesudo y delgado, de haber perdido mucho peso. Tengo la sensación de que el estudio está llenándose de telarañas. Sé que voy a morir y no me importa; no tengo miedo, en absoluto. Mi cuerpo está sentado en la silla y estoy mirándolo por encima de mi hombro derecho. Estoy dormido, supongo. Jamás he prestado demasiada atención a la religión, pero siento que otras personas siguen viviendo, porque mi sensación de vitalidad es sencillamente demasiado fuerte como para que sea de otra manera. La muerte no es decisiva, porque hice lo que quería hacer.

El año en que mi esposa murió pensé mucho en la muerte. Eso fue hace quince años, y ahora tengo ochenta. No me lo esperaba. Ella era tanto más joven que yo, que pensé que todavía nos quedaban muchos más años juntos. Murió siete años después de que naciera el último bebé. Tuve un año muy malo. Pero me acostumbré a ello porque fuimos muy felices juntos y nuestros hijos todavía están conmigo. Realmente, yo sabía cómo vivir. Me encantaba trabajar, y tener una familia feliz y un buen trabajo es la forma más elevada de existencia a la que un ser humano puede aspirar. Y además pude enseñar y comunicar lo que más me gustaba. Como una estrella en el cielo nocturno, empecé mi vida bailando y acabé emergiendo otra vez con consciencia en el cosmos.

Imagina la confusión que experimenté como Barbara, cuando en esta ocasión nací en un cuerpo femenino justo después de la mujer victoriana, ¡que estaba tan deprimida! Por lo que yo sé, no tuve ninguna encarnación entre Erastus Hummel y la mujer victoriana. En esta ocasión, nací con una conciencia sumamente fuerte de las experiencias de vidas anteriores, especialmente la de Erastus Hummel, y eso fue algo que mi abuelo reconoció. De hecho ¡mi abuelo hizo salir a Erastus! Entretanto, la cultura en la que fui educada era negativa y, después de dos guerras mundiales, yo estaba obsesionada con el miedo. Me sentía oprimida por el miedo y la para-

noia, y luchaba para evitar la programación intensiva de los cole-
gios, que estaban dedicados a la mala educación y a la moderación.
Durante el final de la adolescencia, cuando se suponía que debía
convertirme en un ser humano funcional, tuve una crisis esquizo-
frénica. No podía entender para qué había que vivir. Todas las per-
sonas a mi alrededor parecían estar muertas, de modo que me frag-
menté.

Cuando maduré, había pocas salidas para mi intensa energía.
Justo antes de fragmentarme, era una estudiante con honores en la
Universidad de Michigan. Un consejero de la escuela me llamó para
que tuviéramos una reunión y me informó de que no me iba tan
bien como podía irme porque yo era «demasiado entusiasta». Mi
verdadero problema era que, dentro de mí, Erastus estaba gritando
para divertirse un poco, Aspasia estaba intentando llegar a la mujer
victoriana y usar su poder, e Ichor estaba muriendo literalmente en
medio del holocausto económico del siglo veinte. Mi problema era
que durante mi infancia mi cultura había preferido las voces inte-
riores de la prostituta siria, el terrateniente romano y la mujer vic-
toriana. La absurda sexualidad juvenil norteamericana de los años
cincuenta no me inspiraba en absoluto. A los diecisiete años inten-
té suicidarme y casi lo consigo. Todo a mi alrededor empezó a girar
hacia un agujero negro sin fondo, de tal manera que prácticamente
me convertí en una piedra que caía a una charca profunda y oscu-
ra. Empecé a vivir otra vez a los veinte años cuando di a luz a mi
primer hijo, Tom. Se encendió una pequeña chispa que hizo que
mis fuegos interiores ardieran y, con el tiempo, se convirtieran en
un deseo de vivir, en una dicha por la mera existencia.

Cuando volví a encontrar la alegría en la vida, surgió una pode-
rosa voz interior: el Pastor.

Acabo de regresar del desierto después de una increíble experiencia
visionaria. En mi visión, se me indicó que viviera una vida de amor
incondicional. Tengo veintiocho años, soy maestro y escriba, y tengo
una esposa y tres hijos; uno de ellos todavía es un bebé. Antes de
abrir la puerta de nuestro comedor, abro mi corazón como si creyera
que nunca más volveré a sentirme normal. Entro y me siento a una

mesa redonda. Todo es muy corriente. Mi mujer está sentada a mi izquierda y lleva puesta una túnica blanca basta. Tiene la piel aceitunada en el cuello y los brazos, y el pelo largo y castaño. Puesto que protege su rostro del sol, es casi blanco; sus ojos son muy azules. Comemos pescado con salsa de pasas y zanahorias. Bebemos vino y mojamos el pan en la salsa. Hay mucha gente. Su abuelo, un hombre mayor, está frente a mí; mi maestro está a mi derecha y hay otras personas sentadas en torno a la mesa. Esta es una comida de la comunidad, porque este es el comedor del Templo. Mis hijos son demasiado pequeños para comer a la mesa.

Desde mi visión de Enoch y la Diosa en el Templo, me he sentido marcado, como si fuera una persona completamente distinta, o como si otro ser hubiera entrado dentro de mí. Ya soy un famoso escriba y erudito, y me pregunto si ahora pareceré extraño a la gente. ¿Qué haré respecto a mi relación con mi esposa? Estoy aquí con mi familia, pero lo único que quiero en estos momentos es protección para poder cuidar de mí. Sé que los demás están recibiendo el mismo tipo de visiones que yo; muchos están canalizando a un ser llamado Isaías, y mi nombre también es Isaías. El hecho de que algunos de nosotros estemos recibiendo una información similar, valida lo que cada uno ve. En nuestra cultura, la recepción múltiple de orientación hace que sea más válida. Yo soy el que está más fascinado con el contacto con el gran maestro hebreo, Enoch. De hecho, ese es el motivo por el cual el hombre que está sentado a mi lado ha venido a esta cena. Es Micah, mi maestro, así que le pregunto lo que sabe sobre Enoch. Él me responde: «El profeta Enoch es uno de los antiguos. Sus palabras están escritas en un pergamino que se encuentra en el Templo de Salomón. Los hermanos del Elohim escribieron la historia de Enoch».

Le pregunto de qué fuente surge la historia de Enoch y él replica: «La historia que tenemos no proviene de ese pergamino. Viene directamente del Elohim. Escuchamos las palabras en nuestros corazones, incluso si las palabras que leemos enmascaran el mensaje. Las transcripciones hechas por los escribas a menudo son incorrectas, pero la lengua hebrea está compuesta de sonidos que están protegidos por los antiguos. Nosotros oímos esos sonidos correctamente en nuestros corazones, sin importar lo que esté escrito. Si escuchas bien, oirás bien, sin importar lo que los teólogos y los escribas hagan con la palabra escrita».

Entonces quiero saber si él ha estado enseñándome con las palabras correctas, pero no me lo quiere decir delante de la gente. Más tarde, me encuentro con él en una pequeña sala en el templo y le pregunto: «¿Me ha enseñado las palabras hebreas correctas para que yo pueda recibir las enseñanzas secretas?».

«Sí, te he enseñado correctamente porque eres un hijo del Sol. Las palabras que conoces son patrones de pensamiento que están grabados en tu cerebro y siempre sabrás si lo que oyes es correcto o incorrecto. Escucha a tu corazón. Siempre conocerás la verdad cuando la oigas, lo cual con frecuencia significará un gran sufrimiento para ti. Hay otros temas en estos momentos que suponen una crisis mucho mayor para ti. Esta vez tu karma se generará dentro de tu familia. Has recibido el camino del Elohim por Enoch, así que ten cuidado con Yahvéh y sus sacerdotes.»

Ahora estoy en mi casa y todavía estoy intentando sentirme normal otra vez. Soy rico y nuestra casa es opulenta, con sillas reclinables en la habitación. Estoy tratando de ver a mi esposa, pero no lo consigo porque su energía es muy negativa. Puedo ver a mi hijo mayor, que tiene cinco años, y cuando lo miro me ciega. Es un ser resplandeciente que emite un luz radiante. Los hijos del Sol tienen unos ojos brillantes que emiten rayos de luz dorada. Supongo que él siempre ha sido un ser resplandeciente, pero yo no lo había visto antes. Nuestro hijo de tres años no brilla cuando lo miro con mis nuevos ojos, pero es suave y especial, y tiene un corazón cálido. Veo que únicamente mi hijo mayor tiene la misma frecuencia que yo. Los seres resplandecientes son las semillas de las enseñanzas de la sabiduría hebrea y las antiguas salas de parto. Cuando trato de ver el rostro de mi esposa, está desfigurado. Cuando intento verlo se vuelve grotesco, distorsionado. Tiene un ojo en lugar de dos, como si fuera un cíclope.

Provengo del linaje de los Patriarcas. Soy un benjamita y soy de Lachish. Mi mujer es de una familia de clase media. Cuando la conocí yo era joven y perdí el control sexualmente. Yo estudiaba todo el día en el Templo, y cuando ella me sedujo no pude resistirme. Es muy sensual y no es de fiar. La temo porque es muy manipuladora. Puesto que yo no sé manipular a la gente, ella me confunde y le tengo miedo. Me doy cuenta de esto gradualmente. Tuvimos a nuestro primer hijo inmediatamente, luego el segundo, y sólo entonces me di cuenta de que no es buena con los niños. Le aburren, y ella no es maternal. Le gusta la ropa, el estatus, las joyas y el entretenimiento. Yo tenía veintidós años cuando me casé con ella. No se interesa en absoluto por mis sentimientos, ni por mi nivel de percepción. No tenemos nada en común, excepto el sexo. Todo esto fue tolerable hasta que mi percepción se agudizó. Ahora lo veo todo con demasiada claridad. ¿Qué puedo hacer?

Hemos traído al mundo a tres niños especiales y uno de ellos es un hijo de la luz. Ahora tengo miedo de que ella los contamine. A mí no puede contaminarme por mi consciencia, pero con los niños las cosas podrían ser diferentes. Es una situación complicada porque mi alma sabe que la conocí en una vida anterior, cuando ella tenía un gran poder. Durante mi vida como Aspasia, ella era una sacerdotisa del templo. Mi mente interior sabe que su purificación es mi problema, porque no me hice responsable de ella en el pasado. Pero ahora mi preocupación son mis hijos. No puedo transformar a mi mujer, pero el karma tendrá que equilibrarse tarde o temprano. Me desconecté de ella, a pesar de saber que ella sentía que yo era su oportunidad para purificarse. Continué estando casado con ella, por supuesto, pero utilicé mi energía para proteger a mis hijos de ella. Ella se volvió amargada y rencorosa, rechazaba mi papel como canal profético, y yo estaba completamente solo. Se suponía que debía sanarla, pero yo la rechazaba como a la gente a la que no oigo porque no la puedo escuchar. No veía su alma. Mi camino es la radiación del amor incondicional, y sin embargo no pude hacer eso por mi propia esposa. Al menos podría haberle ofrecido ayuda para que quizás ella pudiera encontrar una manera de sanarse a sí misma. Pero cada vez que me abría a ella, simplemente me manipulaba.

En mi vida como Barbara, en la etapa final de mi adolescencia me obsesioné con la pregunta de por qué existía y qué se suponía que debía hacer con mi vida. Pero mi cultura carecía absolutamente de opciones para los jóvenes con una percepción aguda temprana. Yo tenía miedo de que me internaran en una residencia psiquiátrica. En Estados Unidos, en los años cincuenta, o eras «normal» las veinticuatro horas del día (atuendo, modales y pensamientos robóticos) o unos hombres vestidos de blanco te llevaban para darte una terapia de electroshock *o una lobotomía. Y todo esto lo organizaban los últimos dioses: los médicos. El druida conspirador que había en mí fue el que me llevó consigo durante una grave crisis nerviosa y a lo largo de mi recuperación, sin que me dejara agarrar por los médicos. Literalmente, salió de mí de un salto y agarró un libro que un interno me había dado cuando estuve restringida en una camisa de fuerza en la sala de urgencias. El libro era* Sanity, Madness, and the Family, *del analista R. D. Laing, y me salvó la vida. Mientras viajaba a través de una esquizofrenia incipiente, fragmentándome por dentro, empecé a conocer mis propias facetas interiores, mi propio salón de los espejos. Estaba desarrollando un ojo interior cristalino, el Ojo de Horus, y escapar del infierno de la esquizofrenia fue como escapar de las mandíbulas del cocodrilo del Nilo, Sobek. Mediante una intensa vigilancia, podemos llegar a ser plenamente conscientes, y no hay manera de llegar ahí sin pasar por mucho sufrimiento. Como resultado de ello, ahora estoy profundamente cuerda.*

Los dilemas son oportunidades para resolver el karma –lecciones que todavía no hemos aprendido. Cualquier situación difícil es una puerta que conduce al crecimiento. En cada vida, nuestro mayor maestro es nuestro cuerpo, porque nuestros cuerpos crean señales físicas que indican dónde se dificultan nuestros sentimientos. Nuestra sexualidad es nuestro mayor maestro emocional y es también la entrada a la iluminación. Cuando era prostituta en Siria y cuando era un eunuco en Roma, los tiempos eran oscuros y represivos. Todo significado estaba derrumbándose a mi alrededor y no era capaz de ver que mi sufrimiento era una oportunidad para crecer. Simplemente caí en una pasividad enfermiza: la peor respuesta posible a la vida.

Tengo sesenta y siete años y estoy viviendo en el campo árido y montuoso de las afueras de Roma otra vez. Hace aproximadamente quin-

SENATUS POPULUSQUE ROMANUS

ce años recuperé parte de las propiedades de mi familia porque la chusma había dejado que las haciendas estuvieran en barbecho. Nunca me casé y tuve pocas experiencias sexuales. Esta hacienda es pequeña y cultivo nabos en la tierra. Tengo gente que trabaja para mí mientras yo cuido de los animales, y trabajamos mucho. A lo largo de esta vida no he tenido un sentido claro de nada. Me siento blando y pasivo, y no me importa lo que ocurre. Me siento desconectado de mi cuerpo, pero en el caso de que sientas pena de mí, te diré que me sentía así incluso antes de que me castraran.

Estoy de pie en la habitación en la que se prepara la comida, delante de un fregadero seco hecho de pizarra en el que vertemos agua para lavar los platos y los utensilios. Hay una jarra de agua, un vaso vacío y una ventana detrás del fregadero. Estoy mirando por la ventana, contemplando la tierra y los árboles secos y esperando. Entonces me desplomo debido a un intenso dolor de estómago. Siento unos espasmos en los intestinos y en el estómago mientras me tambaleo y caigo contra un armario. Ya no puedo mirar por la ventana. Caigo y me rompo la cabeza. Acabo en el suelo, en posición fetal, como un camarón crudo en agua hirviendo cuando los tendones y músculos calientes hacen que adopte la forma de la Luna nueva. ¿Cuál es la causa?

Finalmente estoy abandonando mi cuerpo. Me siento increíblemente aliviado por salir de él. Cuando salgo de mi cuerpo y floto por encima de él, percibo que me he suicidado. Lo he hecho, ¡me he envenenado! Lo he hecho porque en Roma estaba ocurriendo lo mismo otra vez, la muchedumbre estaba viniendo aquí en busca de comida. Pero esta vez sé cómo son las cosas. Ahora sé por qué no podía sentir la presencia de mis mozos de labranza: se habían marchado. Ya no podía pagarles y la tierra acabaría en barbecho. Otra vez me había retrasado en el pago de impuestos y no podía producir alimentos para la gente. La tierra estaba estéril, se había utilizado en exceso y no había una manera productiva de administrarla. Tendría que ir a Roma otra vez y luchar por ella. Pero el sistema tributario no funcionaría y la gente no tendría alimentos. Con una vez he tenido suficiente. De modo que me envené. No me di cuenta de que el dolor de estómago sería tan fuerte, pero mi último pensamiento es que este ha sido el acto más valiente de mi vida. Nadie me juzgará, porque mi vida es mía.

Flotando por encima de mi cuerpo, me siento aliviado de haber acabado con todo. ¡Ah! ¡Veo la luz azul! Estoy ascendiendo y saliendo de la hacienda, avanzando hacia la hermosa luz azul. Me doy cuenta de que siempre supe que la luz estaba ahí. Ese es el motivo por el cual me gustaba tanto el mar azul que estaba detrás de las colinas. Realmente estoy perplejo. Estoy escuchando la resonancia de una clara nota que suena en una lira mientras voy cada vez más y más arriba. ¡Me siento estupendamente! Estaba agarrado, atrapado y apaleado, y es tan agradable estar por encima de todo eso. Mientras asciendo, me hago algunas promesas a mí mismo: no volveré a ser pasivo, porque ahora conozco la verdad. De un modo u otro, la pasividad siempre mata. Elevándome cada vez con mayor rapidez, me desprendo de las vibraciones del cuerpo romano. Renuncié a él al matarme, pero no renuncié a mi alma. ¡Se acabó! Quizás llegará un tiempo en el que pueda librar mis batallas y ganar, pero no me importa. Estoy yendo directamente hacia arriba como un cohete, convirtiéndome en un punto infinitesimal en el cielo, y entonces me convierto en un círculo.

Soy una esencia y soy real. Hay otras esencias a mi alrededor... quizá sean estrellas. Somos como luces individuales. Somos todo y nada, y cuando nos desprendemos de todo, todo está aquí. Este lugar vive en el corazón de Barbara. Fluyo hacia el interior de las otras esencias para conocerlas y, cuando lo hago, somos una. Somos absolutamente diáfanas, una experiencia encarnada, no sólo cósmica. En todas las encarnaciones, puedo conocer la esencia que hay en los demás y en mí misma. Si decide hacerlo, Barbara puede expandir su resonancia hasta abarcar esto. En el lugar de la nada, todo fluye hacia adentro. Somos luces, pulsando con los mismos ritmos, y todas tenemos la misma fuente de luz. La fuente *es*, eso es todo, y podemos simplemente existir con ello.

Veo el Ojo de Horus, el Ojo del Ser, pero en el iris del ojo está la nada. Ay, dios mío, las otras luces se están comunicando conmigo; están irradiando información hacia mí sobre el motivo por el cual me suicidé. La esencia que transporté por el Nilo siete veces siete (desde el ojo etérico en la fuente del Templo de las Cataratas) es la misma esencia que encuentro aquí arriba. Yo soy esencia cuando llevo energía cósmica para la tierra y para la gente. Cuando las luces instruyen, hay una radiación entre sus pensamientos y los míos. Cuando estoy en la esencia, irradio, sin importar cuáles sean las circunstancias fuera de mí. Primero aprendemos a irradiar en silencio, luego aprendemos a irradiar cuando pensamos y hablamos, y después hallamos la esencia en todos los demás seres. Irradiando de vuelta hacia mi propia esencia del alma, se me concede un momento para que sienta verdaderamente el poder germinador de Ichor. Ay, dios mío, ¡no me extraña que no pudiera soportar ver la desecación de los campos romanos y la hambruna de la muchedumbre! Puesto que rendía culto a la Diosa en Roma, sabía que a la larga el poder germinador siempre se reitera en la tierra que está en barbecho. Cuando nos alimentamos, crecemos, y cuando contaminamos y matamos, matamos a la Diosa. Sin embargo, ella nos espera en la luz azul.

11

Las virtudes del alma

Haciendo regresiones, he descubierto que nuestros ciclos personales de encarnación son sincrónicos con los ciclos históricos y evolutivos de la Tierra. Ichor llevaba y manifestaba la fuerza germinadora para el Faraón, la tierra y el pueblo, y él nació justo después del final de la cultura de la diosa minoica. Aspasia vivió durante el final de esta última cultura de la Gran Diosa y luego regresó inmediatamente como Ichor para buscar el equilibrio junto al Nilo. Es decir, Aspasia se reencarnó como Ichor en Egipto. Los egipcios mantuvieron un mundo armónico y equilibrado durante miles de años, y ese es el motivo por el cual tantas personas sienten fascinación por los misterios egipcios. Muchas perciben que esos misterios son el «eslabón perdido», pero pocas comprenden la mente egipcia. Mucha gente, por ejemplo, piensa que los antiguos egipcios estaban obsesionados con la muerte; sin embargo, los misterios eran una teología avanzada de la reencarnación. Irónicamente, nuestras propias costumbres funerarias y de embalsamamiento ¡se basan en lo que creemos que los egipcios les hacían a los faraones!

Quizás te hayas percatado de que he obtenido poca información sobre las experiencias de mi alma entre las encarnaciones. Lo poco que he vislumbrado de esos dominios, como las esencias o la vida siendo un ángel, es alucinante. Algunos de los más completos registros de la vida después de la muerte se encuentran en un ritual egipcio llamado «Sopesar el Corazón del Alma». Durante este ritual, el ba (Yo Superior) de la persona se llenaba con la sabiduría de encarnaciones anteriores. Cuando el alma volvía a encarnarse, si el

ba *estaba incorporado, todas esas experiencias previas podían res-*
paldar e informar de nuevas oportunidades.

Todas las antiguas culturas mágicas tenían enseñanzas esotéri-
cas sobre la manipulación y la salvación de la memoria, de manera
que todas las personas y las culturas pudieran progresar, en lugar de
degenerar. Viajemos ahora hacia esos dominios con Ichor, que es
una fuente directa de las prácticas funerarias egipcias.

Soy bastante joven y delgado, tengo una estatura mediana, con una buena musculatura, y por primera vez veo que soy negro. Soy Khemit. Llevo puestas unas sandalias reales y un anillo de oro con forma de serpiente y un escarabajo verde engastado. Mi pelo negro grueso y rizado está cubierto con un gorro apretado para que mi cabeza parezca calva. Llevo puesta una túnica de lino blanco con la piel del leopardo sagrado; soy un Sacerdote Shem. Estoy pasando por muchos templos y veo un túnel tosco. Hay columnas y rebordes hasta la entrada, lo cual significa que está terminada. Caminamos sobre piedra tratada hasta el borde del túnel. Dentro está oscuro y húmedo, y tenemos que inclinar la cabeza para entrar. He estado aquí en muchas ocasiones. Al entrar más profundamente, nos quedamos en silencio y vemos con la iluminación interior. No me gusta estar aquí porque dentro viven ratas y murciélagos. El túnel es aproximadamente del tamaño de nuestros cuerpos y, cuando nos agachamos, utilizamos los lados para agarrarnos. Hay arena en la parte inferior. Delante veo una luz en una abertura angular. Cuando salimos por la abertura, el cielo está azul. Hemos pasado por un túnel y salido por el otro lado de una colina.

Acabamos de salir del pasadizo del colegio sacerdotal donde yo enseño, junto al Templo Mortuorio de Amen Ra en la Ribera Occidental. Este pasadizo es el pasaje secreto que va de las escuelas a las tumbas. Yo estaba enseñando jeroglíficos a un grupo de alumnos cuando fui llamado para un ritual. Enseño en un gran complejo en la Ribera Occidental, frente a Tebas. También superviso los rituales de enterramiento porque soy un sacerdote Shem. Este túnel está muy protegido. Me siento mareado y aturdido por la percepción; cada neurona de mi cuerpo está haciendo fuego. Durante años he supervi-

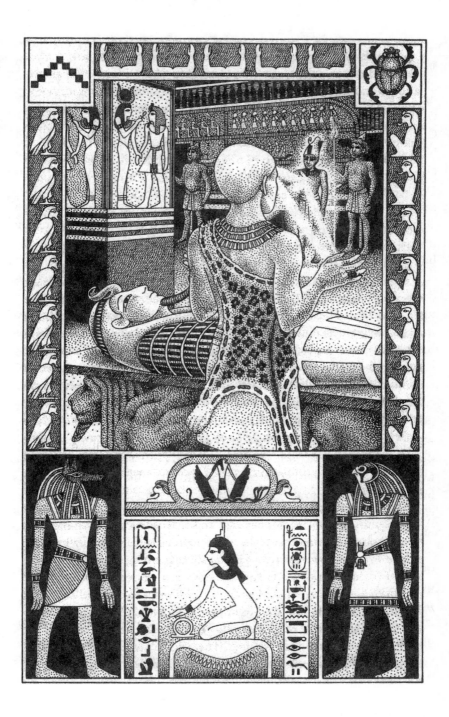

sado las inscripciones en las paredes de esta tumba, los mensajes sobre el viaje hacia la luz para Amenhotep II. Durante años he llevado la energía de la inundación para la germinación de la tierra y ahora mi Faraón está muerto. Estoy negro, no verde. Como sacerdote de Osiris, cuando mi rostro está verde, soy el Dios de la Vegetación. Cuando mi rostro está negro, soy Khemit, la tierra negra fértil del Nilo después de la inundación. La vida emerge de la tierra negra cuando el escarabajo pone sus huevos en la bosta. Estamos entrando en su tumba por última vez. Los selladores de tumbas, los oscuros guardianes de la noche, ya se preparan para ocultar esta tumba para siempre. Estamos en el Valle de los Reyes y cavamos esta tumba profundamente en las entrañas de la Tierra, ya que muchas tumbas fueron profanadas durante la época de los hyksos.

Entramos en el pasadizo y descendemos por un sendero inclinado de piedra caliza. No hay inscripciones en las paredes. Avanzamos una distancia larga con unas pequeñas lámparas que iluminan el camino y luego descendemos por unas escaleras hasta una sala. Los bienes que tuvo en vida están aquí. Primero veo su carro favorito y salgo de mi trance de una sacudida. ¿Realmente se ha marchado? Damos la media vuelta y pasamos por una sala más grande llena de sus posesiones, y todavía no hay inscripciones. Así son las cosas, porque él no experimentó muchas transformaciones. Descendemos por otras escaleras y pasamos cuidadosamente por un puente de madera diseñado para desviar a los ladrones, y entramos en una habitación. Las estrellas de Nut están pintadas en el techo y en las paredes hay inscripciones para engañar a los ladrones. Este espacio aparentará ser la sala en la que está la tumba y, así, creerán que alguien llegó ahí antes que ellos.

Finalmente, entramos en la sala principal con las inscripciones que muestran su camino terrenal. Amenhotep II no estaba iluminado; no se transmutó en la energía de Horus. Las instrucciones en la pared fueron diseñadas para ayudarle a pasar más allá de las etapas rudimentarias. Pasar a la serpiente sería estupendo para él. Todos los que miréis estas paredes, ¡cuidado, porque veréis su alma! Más allá está su sarcófago, y ahora nos encontramos en un espacio sagrado. Aparecen los nubios, que han entrado por pasadizos laterales, y se colocan uno a cada lado mío. Llevan puestos unos tocados altos, triangulares, con forma de cono y con rayas. Visten túnicas rojas y llevan brazaletes de oro en la muñeca. Uno de ellos pone en mi mano derecha un bastón de madera que tiene una lagartija voladora en la parte superior, con alas hechas de lapislázuli y coral. Colocan en mi cuello un collar ancho hecho de lapislázuli y coral que tiene el ojo de un halcón en la parte delantera. Parece un ojo de verdad descansando exactamente sobre mi esternón. Entonces empiezo a caminar hacia delante.

No me gusta este ritual de «Sopesar el Corazón» porque el resultado afecta a mi propio karma. Entramos en la sala, que mide unos nueve metros de largo por unos cinco metros y medio de ancho. Hay una luz dorada producida por varias velas que sostienen unas personas que tienen sus bastones clavados en el suelo. Camino hasta el centro mientras que tres estudiantes iniciados se quedan atrás. Agarro mi bastón, mi *uasit*, con ambas manos y lo levanto, y siento que se está acumulando una energía eléctrica. El poder está trabajando mientras conecto con algo que está arriba. Ah, ya lo veo, estoy llamando a todos los seres que participarán en el ritual de sopesar el alma. Les doy permiso para que estén en este espacio. Entrego mi bastón a uno de mis alumnos, que está de pie sobre el suelo de piedra. Me doy la media vuelta y avanzo un metro para acercarme al rostro de la momia que descansa sobre una plataforma sostenida por dos leones que miran en direcciones opuestas. Estos leones se utilizan únicamente cuando el Faraón ha muerto; son los pilares de la Atlántida que sostienen el equilibrio axial. Estoy muy triste.

Estoy intranquilo por el hecho de sentirme triste, pero cualquier resistencia o emoción en mi cuerpo ¡reverberará por todas mis vidas! Estoy aquí para llevar a cabo el ritual crítico, para pasar su corazón, y debo hacerlo bien. Me dirijo hacia un reclinatorio que está delante de los dos leones y extiendo mis manos y mis codos sobre él. Pero tengo que lidiar con mis emociones, así que coloco las manos en los lados de mi cabeza. Si mis emociones se quiebran, no podré hacer lo que tengo que hacer por él. Debo hacer que la energía circule entre los seres y el Faraón. Si no lo hago, el *ba* del Faraón será capturado y el Nilo perderá su fecundidad. Pero tengo un problema. Antes de ayudarle a pasar, primero debo conectar su cuerpo emocional, su *ka*, a su cuerpo físico. Este Faraón, Amenhotep II, no trajo su *ka* a su cuerpo lo suficiente durante su vida. No usó su cuerpo como un templo para su alma mientras estuvo vivo. Nunca he hecho nada parecido a esto, de modo que digo: «Horus, ayúdame». Tengo una visión del ojo amarillo del halcón y, una vez que la he visto, puedo continuar.

Normalmente, sólo tenemos que abrir la boca para pasar el aliento divino al otro mundo, *em Tettetu*, para el tránsito a los seres celestiales con Osiris. Pero primero debo conectar su *ka* para poder hacerlo pasar. Las probabilidades son escasas. Para asistir al Faraón, llamo a los seres visualizándolos. Desciendo hasta casi llegar a la posición del niño en el suelo, luego me levanto y me pongo de pie. Puedo ver una pequeña imagen del Faraón flotando por encima del pecho de la momia. Cuanto más poderosamente pueda visualizarlo, más éxito tendré. Veo al Faraón en miniatura todo blanco y magnetizado. Veo luz blanca y luz morada, luz amarilla y luz verde pulsando e irradiando en todas direcciones alrededor del Faraón en miniatura, y pongo mi energía en la visualización. Mi rostro está concentrado rígidamente en la visualización y estoy enviando energía. Atraigo energía de fuego –de rojo y blanco a rojo y amarillo– haciéndola entrar por mi chakra de la coronilla al respirar la energía de los dioses y llevarla hacia mis omóplatos, haciéndola descender por mi columna vertebral hasta mis pies y luego ascender otra vez por mi cuerpo y salir hacia la visualización de Amenhotep a través de mis manos. Es realmente intensa, pero no me molesta porque entra primero a través de mi chakra de la coronilla. Produce un poco de cortocircuito en mi cuerpo, pero no demasiado.

Ahora envío un rayo de pensamiento magnetizado a la visualización que sale de mi tercer ojo y de mis manos, formando un triángulo de luz entre ellos. Cada vez que lo envío, la imagen del Faraón resplandece. Su momia está siendo irradiada con una intensa luz, mientras unos rayos de colores salen de la visualización. Cuanta más energía envío, más ayudo al Faraón. Es importante conseguir que el aura magnética de la visualización salga hacia fuera; cuanto mayor sea su alcance, mayores serán los resultados. Estoy cambiando las células del Faraón. Mientras anclo la energía en mis pies, el aura se extiende muchísimo. Nunca había visto un aura llegar tan lejos.

Aquí tengo que pedirle permiso a Horus: «¿Puedo conocer la respuesta a un secreto grande e importante? Pido esta información en servicio de la luz. Durante la vida de Ichor, cuando realizaba esta función, quería saber por qué el viaje del alma es facilitado por la magnetización de la visualización. Pero entonces nadie respondió a mi pregunta».

Oigo una voz en mi cabeza: «Soy Horus y te responderé únicamente si comprendes la seriedad de tu petición y si estás de acuerdo en estar al servicio de la luz a partir de ese momento».

Digo mentalmente: «Comprendo la seriedad de la pregunta. Deseo conocer la respuesta».

La respuesta llega.

«El alma está hecha de estrellas, galaxias y supernovas. Conoce este hecho para que puedas fundirte con esta energía, para que puedas conocer la materia a través del Ojo de Horus. En cuanto a la magnetización de la forma hecha de pensamiento, en este caso la esencia de Amenhotep II, esta técnica también puede ser utilizada para la sanación celular. Fíjate cómo se forma un triángulo de luz entre tus manos y uno de tus siete chakras, lo cual crea la base de una pirámide en la cual el cuarto punto es la forma de pensamiento. Esta técnica modifica las células, de manera que puede usarse para sanar únicamente cuando se ha tomado la decisión de prolongar la salud, de no prolongar la enfermedad. Se invierte mucha energía para evitar que las personas mueran cuando están preparadas para marcharse. Puedes retener a la gente, pero no permitir que las personas enfermas mueran es sumamente destructivo para el planeta y para el cosmos. Lo que ocurre en la Tierra influye en todo el cosmos, y demasiadas enfermedades crean negatividad en masa en la mente humana.»

Entiendo que esto quiere decir que mi capacidad para realizar este ritual va a entrenarme para la sanación celular, y regreso para Sopesar el Corazón de Amenhotep II. Estoy de pie con el triángulo de luz blanca que va de mis manos a mi tercer ojo, conteniendo la energía en el triángulo resplandeciente. En estos casos, mi tercer ojo es el ápice del triángulo hacia la visualización de Amenhotep. Oigo su nombre más elevado en mi oído interno –Aak-he-per-u-ra– y mis manos y el tercer ojo se calientan como el platino líquido. Ahora, la energía cambia mientras mi chakra del corazón empieza a pulsar y a resplandecer como un carbón entre amarillo y rojo en una fogata. Se calienta más y se vuelve blanco. Hay una luz blanca en mi pecho mientras la pirámide de luz se forma con mayor perfección. Súbitamente, la energía sale de la visualización, desaparece y aparece la forma de un pájaro negro que no consigo ver con claridad. Veo un ala, veo a todo el pájaro y, entonces, el rostro en miniatura del Faraón se convierte en la cabeza. Este pájaro es parte del cuerpo del Faraón y se separa de él; la mitad está fuera de su cuerpo, pero todavía conectada a él. Este es el tránsito de su alma. Estoy sosteniendo mi triángulo firmemente. La luz es perfecta y está bajo control, y puedo sentir a muchos seres cerca de mí. ¿Qué seres están aquí?

En mi cabeza, oigo: «Yo soy Seth del Séptimo Sello. Hablaré después de los cuatro arcángeles. Este juicio no es meramente un tránsito individual; implica la supervivencia del linaje de los faraones». Entonces oigo que están hablando detrás de mí: «Yo soy Rafael. Mi lengua está atada ahora por otro ser. Todavía no puedo hablar».

Como Sacerdote Shem, le digo a Qebhsennuf/Rafael: «En el nombre de Horus, Rafael, debes hablar, porque tú eres el guardián del corazón de los faraones», y le oigo decir: «Debo mantener mi silencio ahora, porque estoy oyendo la voz de un ser que es muy peligroso para Amenhotep».

Pregunto en silencio, en mi corazón: «Horus, ¿qué debo hacer?». Durante toda su vida, Amenhotep supo que estaba atrapado en lo que otros decidían. Por ese motivo hay tan pocas inscripciones. Nosotros fabricamos unos diseños bonitos para el pueblo, para que creyeran que Amenhotep era como cualquier otro faraón, humano y divino a la vez. En las profundidades de los templos y las tumbas, la verdad está en las paredes, para que los sacerdotes nunca pierdan las claves para transmutar la consciencia. Si alguna vez ocurre, la raza humana no será diferente a la de los animales. Todas las enseñanzas sobre el alma de cada faraón siguen estando en las paredes en Egipto. Esperan a la Era de Acuario, cuando los sacerdotes se vuelvan a encarnar para proteger la sabiduría.

Estoy de pie mirando al Faraón, manteniendo mi triángulo de energía en su sitio mientras siento el calor de los otros dos arcángeles en mi costado derecho: Hapi/Miguel y Tuatmautef/Gabriel. Oigo a Miguel decir: «Fue un buen faraón. Cuando nació, el linaje de los faraones ya estaba corrupto. Hace muchos años que no es faraón un Maestro, pero en el futuro habrá uno, Seti I, y bendecirá a Amenhotep II. Yo digo: "bendecid al reino, y permitidle pasar"». Escucho a Gabriel decir: «Grito a las cimas de las montañas y sobre el desierto y por el Nilo, dejadle pasar, grandes dioses. Él es el Faraón, Señor de la Órbita. Tuvo un corazón grande y maravilloso, pero simplemente no pudo controlar el desorden durante su época. Después de todo, honrando la tradición de que Egipto es un refugio, alimentó a las multitudes que huyeron a Egipto en los años de caos en el Egeo después de la erupción del gran volcán, Tera. Compartió el sustento del Nilo cuando muchas personas estaban sufriendo. Estaba tan ocupado ayudando que no progresara en su propia consciencia. Y ahora, en cualquier caso, ¿cómo podría hacerlo? Su abuela, Hatshepsut, ordenó a sus niñeras y a sus maestros que le limitaran. Jamás se le permitió sentir nada o tocar nada, así que, ¿cómo podía desarrollarse? Su cuerpo también fue limitado y su tiempo estaba demasiado ocupado. Él merece la iluminación por cada boca que alimentó. Amenhotep II sintió el sufrimiento de la gente y respondió».

Los arcángeles han hablado y ahora es el turno de Amset/Seth. Le oigo decir: «Sucumbió a sus pasiones y jamás le importó nadie que no fuera él mismo. Fue Faraón porque le gustaba el poder. No hay forma en que yo pueda aprobar el derecho divino del Faraón en este caso; corrompería el tránsito en el futuro».

Ahora es mi turno. Como Sacerdote Shem, soy la quinta fuerza en este ritual. Si puedo infundir su *ba* con sus conocimientos de esta encarnación, sin importar lo que diga la Historia, regresará otra vez con los registros de su vida intactos e infundirá su cuerpo a su alma. De modo que pregunto: «Horus, ¿qué hago ahora?».

Me pongo rígido, sintiendo una sacudida de electricidad bajando por mis piernas que me conecta con la piedra caliza que está bajo mis pies. Levanto las manos hacia arriba de manera que las palmas miren hacia el Faraón y me inclino ligeramente hacia adelante, sintiendo unos agudos rayos de energía en mis hombros. Rayos de energía salen de mis palmas y electrifican al pequeño pájaro que está encima del cuerpo del Faraón. La tumba está sacudiéndose como si un terremoto causado por mi cuerpo estuviera convirtiéndose en un gran rayo, y contengo esta fuerza aunque pueda significar mi muerte. Entonces, una voz atronadora sale de mí: «Sabed ahora que una vida nunca es la respuesta. Sabed ahora que este faraón no ha pasado, que pasará durante el reinado de Seti I, mi hijo que vendrá a la Tierra. Conoced ahora esta lección: lo único que me importa es el trabajo del *ba*, la vida del Yo Superior a través del tiempo. No me importa el resultado de una sola vida».

A continuación, oigo la voz de Hatshepsut, que lleva varios años muerto: «¡Nunca soltaré, nunca!».

La electricidad se intensifica mientras mi voz vuelve a tronar: «No, Hatshepsut, tú nunca soltarás porque estás condenado. Tendrás tu última oportunidad cuando regreses en el cuerpo de hombre que deseas para toda la eternidad. Regresarás como Amenhotep IV para cambiar tu nombre por el de Akhenatón. Que los dioses se apiaden de ti, porque nunca hubo esperanza para ti».

Por último, Horus habla a través de mí como Sacerdote Shem, para que las palabras queden inscritas en el libro de registro kármico. «No se le debe dejar pasar. Pero yo protegeré su cuerpo momificado durante 3.350 años, hasta que regrese otra vez en un nivel humilde con un buen corazón. Conectará con su Yo Superior y será humilde, y nadie adivinaría que es un ser de gran poder. Será conocido por su gran corazón.»

Todo lo que hay detrás de mí se disipa mientras permanezco de pie con mi energía interrumpida. El Faraón no puede realizar el viaje a la estrella e irradiar su sabiduría de vuelta al Nilo. Ciertamente, tendrá los rituales públicos habituales. Se realizarán las inscripciones en su templo mortuorio representado el viaje de doce horas en la Duat y la gente creerá que se ha establecido la conexión divina. Pero sé que este es el principio del fin. ¿Por qué ha ocurrido esto? Ha habido demasiadas intrigas sacerdotales, guerras y hambrunas, y ha habido una víbora en nuestra tierra. Los invasores hyksos infectaron nuestros rituales y estamos perdiendo nuestras conexiones con los dioses. Soy el portador del buitre, Maat, y por eso hago pasar a las almas; es mi *neter*, mi forma de energía. El equilibrio es lo único que importa, y esta experiencia me ha conmovido profundamente. Iré al recinto de mi maestro y hablaré con él.

Mi maestro vive en una vieja casita con columnas en la parte delantera, en un recinto con otros maestros. Golpeo con fuerza la barra de metal de su puerta, porque actualmente no oye muy bien. Lo oigo caminar arrastrando los pies y entonces él abre el picaporte. Caminamos a través de la sala de recibo que está en la parte delantera, donde hay bancos contra las paredes. Avanzamos por un pasillo y llegamos a su habitación, que tiene una mesa y unas sillas de madera, unos sofás reclinables y una pequeña chimenea. Él vierte en nuestras copas de peltre aguamiel del vaso alto que está la mesa. El aguamiel está muy dulce, muy espeso. Me siento muy cansado mientras él habla. Ay, dios, ¡es completamente clarividente! No le he hablado del alma de Amenhotep, pero él lo sabe todo sobre el Faraón. Dice: «He sabido del problema de Amenhotep durante todos estos años. Intenté hacer que cambiara. Lo que importa para ti es que debes saber por qué tú, Ichor, fuiste elegido para hacerlo pasar».

Mena habla y suena como si estuviera drogado. «El tiempo es esférico, Ichor. Estás triste porque volverás a encontrarte con este ser. En tu próximo encuentro, no fallarás. Lo que has aprendido ahora te permitirá tener éxito más adelante. Fuiste elegido para sopesar el alma de Amenhotep porque tienes un karma con él y al final todo se resolverá. Haz hecho el viaje a las estrellas muchas veces y lo volverás a hacer. La atracción y el equilibrio no pueden existir sin separación y tensión. Amenhotep II estaba experimentando con una forma de percepción superior que será comprendida en el comienzo de la Era de Acuario. En esta época en Egipto hemos llegado a ser maestros en las técnicas para viajar a las estrellas. En esa época posterior, las estrellas viajarán a los humanos.»

Pero, ¿qué podía significar eso para mí, que vivo en el principio de la Era de Acuario? En realidad, la respuesta es asombrosamente sencilla. Las eras fijas (Tauro, Leo, Escorpio y Acuario) son eras en las que los procesos finalizan. La Era de Aries (desde el 2200 hasta aproximadamente el 60 a. C.) fue una época en que se inició el libre albedrío y durante la Era de Piscis (60 a. C. hasta aproximadamente el 2000 d. C.) se descubrió el poder del amor para explorar de qué manera el libre albedrío es limitado por otros seres. Durante Acuario, usaremos el poder del amor con el libre albedrío para elegir a Dios. Tendremos la revelación del tiempo esférico (el conocimiento para modificar hologramas en el tiempo) y la tecnología para bañar las células de nuestro cuerpo con el poder del amor. El pegamento que mantiene unido al cosmos es el amor, el atractivo cósmico. La última barrera que hay que romper es el miedo, el tema clave que se ve en el Ojo del Centauro. La única barrera que te está impidiendo tener una consciencia total está en el lugar en el que las fibras ópticas conectan con el cerebro. El miedo está ahí al acecho y bloquea tu visión. Los antiguos dicen que la última barrera es que la luz te ciegue cuando pides una iniciación. Aspasia es la clave, porque la iluminación interior la guió por el laberinto de Creta.

Estoy descalza y llevo puesta únicamente una capa de color marrón siena sobre una túnica blanca de algodón. Estoy tan llena de energía que apenas puedo ver. Siento un rugido en mi interior. Estoy en la escalinata de entrada a la calzada elevada del Oráculo de Delfos. Es demasiado empezar tan cerca de la Fuente. Soy una visitante aquí, mientras estoy en las escaleras, mirando hacia la gente que está delante de mí y en la colina. A mi izquierda está Dionisio, con su salvaje pelo oscuro, vistiendo una piel de pantera; junto a él está una muchacha con una larga cabellera castaña. A mi derecha hay dos hombres más que llevan puestos unos trajes ceremoniales del color de las bayas. Uno de ellos es gordo y el otro es un hombre negro menudo y delgado, pero fuerte. Lucía está aquí a mi derecha.

Tengo treinta y siete años. No hay mucha gente aquí: unas cincuenta personas, quizás. Los cuatro me indican que ha llegado la hora de ir al oráculo. Me doy la media vuelta y empiezo a caminar en esa dirección. Ellos vienen detrás de mí. Hace frío y sopla una brisa. Estoy aquí porque es aquí donde habla la Tierra. Mientras nos acercamos, no estamos seguros de lo que harán los sacerdotes délficos, porque ninguno de nosotros tiene acceso oficial. Puedo sentir que la

Tierra va a hablar, de modo que me siento atraída hacia este lugar por el instinto, como un animal. Cuando nos aproximamos al oráculo, veo que unas personas lo están protegiendo. Dionisio, Lucía y yo nos acercamos, y la imposta que hay delante hace que me sienta frustrada. El oráculo está detrás de una imposta en un área excavada como una pequeña cueva en el interior de la montaña. Mientras camino hacia la plataforma de piedra con columnas a cada lado, empiezo a sentirme muy extraña. Todo se queda en un terrible silencio y ya no soy consciente de la gente. Siento el poder de oráculo en mi cabeza, un poder que nunca antes había sentido. Está en el centro de mi cerebro, en lo más profundo, vibrando a una alta frecuencia que afecta a mi vista y mi oído. No estoy oyendo y viendo de la misma manera, pero no puedo explicarlo. Siento una energía en todo mi cuerpo, pero no es una energía de luz. Además, me siento desorientada, porque hay un torbellino en el cielo. Nunca me había sentido así antes y estoy confundida.

He subido a la plataforma, algo que normalmente está prohibido. Todos, incluidos Lucía y Dionisio, se quedan atrás para poder observar de cerca a los cuatro guardas del templo. El oráculo lleva mucho tiempo sin hablar a través de una sacerdotisa, y Aspasia no es griega. Justo cuando los guardas del templo se colocan uno frente al otro y levantan las manos, Dionisio se mueve para avanzar. Entonces se produce un rechinar en las rocas, proveniente de algún lugar subterráneo profundo. El cielo se convierte en un enorme torbellino de nubes de color gris acero que se arremolinan en un vértice y los guardas del templo hacen gestos a la gente para que retroceda. Los ojos de las personas están desorbitados cuando caen hacia atrás, unas sobre otras. Ahora dos de los guardianes del templo avanzan con Lucía y Dionisio delante de las columnas. Los otros dos guardianes del templo entran en un pequeño edificio que está a la derecha, detrás de las columnas. Me traen un manto con las estrellas azules de la Atlántida. Dejo caer mi capa y me quito la túnica porque la electricidad está saltando en los hilos de algodón. Es doloroso. Rápidamente me colocan el manto sobre los hombros.

Ahora me siento diferente. Ellos retiran sus manos y me dejan sola. Camino hacia delante rápidamente otra vez y me arrodillo. Me estoy acercando al oráculo, pero tengo que permanecer detrás de la imposta. Entonces me acerco, arrodillándome de lado y colocando mi oído derecho lo más cerca posible de él. Hace frío, así que envuelvo la parte posterior de mi cuerpo con el manto. Me siento como un animal desnudo atraído al oráculo y quiero arañar el sitio donde el oráculo es un pequeño agujero en el suelo. Este lugar pertenece a la era que tuvo lugar doscientos años antes de ésta. Muchas personas le temen. Tienen miedo de destruirlo, de enterrarlo o de ignorarlo por lo que podría ocurrirles si lo hicieran. Sin embargo, nadie sabe qué hacer con este antiguo lugar. Ah, ya veo. El problema es que la imposta no pertenece a este lugar. Es nueva: tiene menos de cien años de antigüedad. No puedo acercar mi oreja a la abertura. Pero si me subiera a la imposta, si caminara alrededor de ella o intentara caminar a gatas por encima de ella, me matarían. Los hombres hicieron esto. Esta nueva cosa hace que ahora sea accesible a los hombres, no sólo a las mujeres.

Resulta frustrante ir a un lugar sagrado buscando la energía y encontrar obstáculos delante de mí. Siento el poder, pero estoy como un león enjaulado. Estoy segura de que los guardas del templo me matarán si hago lo que tengo que hacer. Cuando me pusieron el manto, ni siquiera podían sentir el poder. Han perdido todo contacto con este manto. Quiero derribar esta imposta.

Algo extraño está ocurriendo detrás de mí. Dionisio puede leer mi mente y sabe que tiene que hacer algo o, de lo contrario, estaremos en un absoluto callejón sin salida. Estamos al final de un largo ciclo y las cosas deben ser terminadas en esta época. Detrás de mí, Dionisio hace que todos salgan del espacio sagrado porque algo va a ocurrir aquí y él no va a permitir que me detengan. Los retira con una fuerza asombrosa. Dionisio se coloca detrás de mí, pone sus manos sobre el manto que cubre mis hombros y lo energiza. La energía lleva mucho, mucho tiempo sin estar en el manto. Mis manos han pasado ahora a través de la abertura y la fuerza es tan intensa que es como agarrar un rayo. Coloco mis manos encima del agujero.

He roto el tabú y me siento como un lobo mientras tengo a Dionisio detrás de mí creando un circuito a través de mis hombros. Él me está protegiendo de la energía negativa que quiere entrar en el agujero a través de mis manos. Succiona por mis manos, subiendo por mis brazos, entrando en mi corazón y saliendo por la parte superior de mi cabeza. Detrás de nosotros, el vórtice en las nubes es tan intenso que la gente se mantiene anclada y magnetizada a la tierra por miedo a ser llevada. Es como un huracán. Esta conexión se ha establecido desde los planos superiores para la supervivencia de las personas. Aunque la mayoría de ellas morirá pronto, pasarán a los campos de los dioses. Además, forman parte del circuito que estoy creando con Dionisio. Siento como si estuviera frita; el circuito se rompe en algún punto y siento la energía negativa. La espalda de Dionisio está apoyada contra la mía y él está mirando hacia fuera a través de las columnas. Está muy enfadado. Siento que algo se rompe en él mientras atraigo la energía del oráculo; la fuerza negativa avanza hacia Dionisio y él la hace girar hacia la gente en un nivel psíquico. Estamos conteniendo un poder increíble mientras se generan unas grandes tormentas eléctricas más allá de donde se encuentra la gente.

Dionisio levanta las manos, sintiéndose fuerte, y súbitamente, los guardas del templo responden. Están conmocionados porque nunca antes habían sentido el poder del oráculo. Regresan a la pequeña cripta y me traen un manto (teñido de rojo con bayas color sangre) y una corona de parras y uvas. Llevan la corona sobre un trozo de tela que tiene dos mil años de antigüedad. Están totalmente absortos en un trance hipnótico.

Mientras estoy delante del oráculo, Dionisio está de pie detrás de mí con los brazos extendidos hacia el cielo y una expresión extática en el rostro. La electricidad baja crepitando de las cimas de las montañas. Los guardas están caminando delante de las columnas, llevando los objetos de poder sagrado de la cripta. Durante generaciones, los guardas han sido entrenados para hacer esto, aunque hacía mucho tiempo que no sacaban al exterior los objetos de poder. Ellos están controlados por el poder que hemos generado en el oráculo. Los dos primeros llevan la corona, el tercero lleva un escudo en el que hay una rueda de ocho puntas y el negro lleva la capa. Sosteniendo la corona, se quedan esperando detrás de Dionisio. El guarda negro entra en un estado de éxtasis, brillando como la luna llena.

Pone la corona sobre el pelo salvaje de Dionisio, mientras los otros dos le entregan el manto. Entonces el guarda negro lo coloca sobre los hombros de Dionisio. Cada vez que este guarda cambia de posición delante de Dionisio, yo recibo unas fuertes sacudidas en las manos. Como un actor en un Misterio que ha sido representado en muchas ocasiones, sigue a la fuerza inclinándose delante del escudo. Luego adopta la pose de la Esfinge en una postración de aceptación total. Una vez que lo ha hecho, me siento mejor. Ahora siento una corriente y lo veo: él es uno de los guardianes de Dionisio de otra época. Ha aparecido hoy, proveniente de otra dimensión.

Dionisio baja las manos, coloca sus pulgares y sus dedos índices en un mudra y hace una reverencia. Realmente, hoy estamos llevando a cabo algo aquí. El hombre negro cambia de posición y da permiso a los otros tres para que se retiren. Nosotros dos invocaremos la energía de la Tierra para la gente. Nunca antes había conectado con la energía de la Tierra de esta manera y no puedo hacerlo sin Dionisio. Él se inclina ante el guarda negro del templo y luego adopta una postura erguida. Inmediatamente, siento las manos como piedras llenas de descargas eléctricas, como si yo fuera una gran roca sobre la que caen rayos. ¿Qué es esto? Dionisio se pone de rodillas, coloca sus manos sobre las mías por encima del oráculo y una energía caliente sube por mis brazos y llega hasta mi corazón. Ahora el oráculo está preparado para hablar.

El oráculo dice: «Puedes hacerme tres preguntas».

Mi primera pregunta es: «¿Cuándo volveremos aquí para hacer que el oráculo no sólo nos hable a nosotros, sino también al pueblo?».

«Hablaré al pueblo; conoces el momento de la conjunción. Entonces debes decirle a Dionisio que es el momento para que el oráculo hable. Será entonces cuando ocurrirá.»

Mi segunda pregunta es: «He informado a mi pueblo de que pronto habrá un cataclismo provocado por un monstruo en el cielo. ¿Qué debo hacer por mi pueblo?».

«Escucha ahora y comprende lo que digo. Dentro de poco, un cataclismo os arrollará. Puesto que ahora la religión de la Diosa está en el poder, será acusada de ser la causante de este cataclismo. Pero nadie en la Tierra es responsable. Se trata, simplemente, de un ciclo extraterrestre. Debido a la destrucción, el patriarcado asumirá el poder y la siguiente cultura dará por sentado que la seguridad es el resultado del orden y el control. Tu pueblo tendrá una gran confianza en ti: tu fuerza les da fuerza y tu alegría les da alegría. Este es el camino de la Diosa. Tu propio pueblo no culpará del cataclismo a la religión minoica. La gente que está fuera, que ya quiere que llegue el fin de vuestra religión, culpará a la Diosa.»

Dionisio pide el último mensaje al oráculo. La pregunta es: «¿Es posible equilibrar la energía esta vez y que no culpen a nadie del cataclismo?».

«Esta vez no; la posibilidad llegará más adelante. Pero tened en cuenta que cuando conectáis cuatro energías, esto produce la quinta energía, el centro. Con el paso del tiempo, la gente en los grupos puede descubrir el centro porque desarrollará la capacidad de encontrarla y hacer con ella lo que el creador desea. Las personas viven muchas vidas sin esta posibilidad: estar centradas independientemente de lo que esté ocurriendo. Echan tanto de menos esta habilidad que cuando llega otra vez no tienen miedo de su poder. Este centro universal está disponible cuando los seres humanos se enfrentan a su propia muerte sin miedo. Tu capacidad de no temer este cataclismo que vendrá crea la posibilidad de que todos puedan superar el miedo en el futuro.»

Sólo unos meses más tarde, el gran acontecimiento cósmico predicho por muchos videntes del Egeo se aproximó. Aspasia estaba en casa con su familia, observando el cielo. Escuchemos su historia.

Mi casa está llena de gente. También llenan el templo y se amontonan en las rocas que hay alrededor. Han venido buscando la única seguridad que han conocido jamás: el Oráculo de Tasos. Está oscuro y muchas personas han venido aquí porque es un terreno elevado. Mientras esto está ocurriendo, estoy fuera en el patio trasero, otra vez en los escalones, observando el cielo. Sabemos lo que está ocurriendo porque hemos estado viendo al cometa en el cielo durante tres semanas. Ha estado cada vez más cerca. Bueno, parece como si estuviera acercándose a nosotros, pero en realidad no es así. Durante todo el día, el aire ha estado denso y pútrido, y siento que he cometido un error. No debería haber convocado a la gente aquí. Ninguno de nosotros debería estar en el lugar donde nos encontramos. Creemos que es un terreno elevado, pero no es suficientemente elevado. Estamos tan sólo a sesenta o noventa metros sobre el nivel del Egeo.

Ahora es de noche. No puedo ver el mar y estamos observando el cielo porque parece estar acercándose. El cielo está poniéndose muy rojo, de un tono rojo muy extraño, casi sanguíneo. Entonces, ¡nuestros oídos casi son destruidos por una increíble explosión! Algunas personas caen, agarrándose la cabeza con dolor. ¿Qué ha sido eso? La Tierra empieza a temblar. Capas de roca están retumbando y crujiendo debajo del lugar en que nos encontramos. Se abren fisuras en el edificio del templo. Nos sentimos muy extraños mientras el aire se va haciendo más denso. Como grupo, estamos centrados en nuestra consciencia. Es un error estar aquí; lo sabemos, pero ahora ya no podemos hacer nada para remediarlo. Simplemente estamos empezando a sentirnos fascinados y centrados en el poder de la Madre, mientras ella se retuerce como una mujer que se acerca al orgasmo. Contenemos nuestra energía y observamos, porque todos somos conscientes de que hemos sido elegidos para observar el caos cósmico. Estamos hipnotizados.

Puedo ver el cometa en el espeso cielo nocturno. Es de un intenso color rojo sangre y negro, feroz, y la cola tiene un color azul amarillento. Es hermoso, como un dragón que despide fuego, como un dios del fuego furioso que golpea. Sin embargo, se mueve lentamente, como un cisne. Está cada vez más cerca de Marte; muy, muy cerca. Tengo miedo de que colisione contra Marte, y todos tenemos miedo de que golpee a alguno de los cuerpos. Lo miro fijamente y me pregunto qué es. Cerca de Marte, debe de ser un justo castigo por la guerra. Pase lo que pase, me siento fatalista; siento que lo merecemos. Cuando se acerca más a Marte, no podemos verlo más porque el temblor del suelo se intensifica mucho. Y estamos perdiendo los nervios. Quiero ser fuerte para impedir que la gente entre en pánico, pero realmente nos estamos sacudiendo mucho. La hierba se está abriendo y están emergiendo rocas de abajo. Las personas son arrojadas contra cosas y unas contra otras, y se están haciendo mucho daño. Este es un gran terremoto.

Miro una última vez hacia arriba para ver si colisiona contra Marte. No lo hace, pero parece pasar muy cerca. Cuando pasa más cerca de Marte, el temblor llega a su mayor nivel de intensidad y es en ese momento cuando miro hacia arriba. Ahora creemos que va a chocar contra nosotros y entramos en pánico. El césped se está abriendo en trozos porque las rocas están subiendo desde abajo cuando se abren unas profundas grietas. Las cabezas de las personas que están a mi alrededor se están aplastando y rompiendo contra las rocas. El templo se está viniendo abajo mientras oigo gritar a la gente que está dentro. Yo estoy fuera, en la parte trasera, y algunas personas están agarrándose a mis hombros y gritando mientras intentan mantener el equilibrio. La gente está siendo valiente, pero no puede quedarse ahí y mantener su energía concentrada cuando está siendo sacudida hasta hacerse pedazos. Es como estar de pie en un barco en aguas turbulentas. La piedra está temblando mientras intento mantenerme de pie y las rocas bajo el suelo están viscosas, como si se estuvieran volviendo líquidas. Sintiendo los fuertes músculos en mis rodillas, me estoy manteniendo de pie. Sé que voy a morir. No hay forma de que nadie salga con vida de ésta. Todos los demás parecen caer antes que yo, y entonces yo también caigo.

La roca me lanza hacia delante y caigo, y luego estoy encima de algunas personas que se están agarrando a mí. Las rocas caen sobre la casa que está detrás de mí y ésta empieza a derrumbarse. Voy a ser aplastada y tengo miedo. Pero también siento curiosidad por lo que está ocurriendo a mi alrededor. Creo que lo que ocurre es que no siento ningún dolor porque he recibido un golpe en la parte posterior de mi cabeza. ¡Es una muerte instantánea! Salgo de mi cuerpo inmediatamente porque quiero ver lo que ocurre en el mar y en los ríos. Quiero estar por encima de todo para ver lo que está ocurriendo. Todavía soy consciente del terror y la agonía que hay ahí abajo, pero no puedo hacer nada al respecto. Vuelo por encima de la ciudad, donde la mayoría de las edificaciones están completamente destruidas. Una gran fisura se abre a través del centro de la ciudad y el mar Egeo se agita con grandes olas mientras la fisura se llena de agua. Me elevo más. A mi izquierda veo el mar Euxino y los estrechos de las Simplégades. A lo lejos, en la distancia, veo un volcán echando lava y humo al cielo desde el mar, donde solía estar la isla Calista (Tera).

Cuando el nivel del Egeo baja, el mar Euxino se vacía en el mar Egeo a través de las Simplégades. Primero sube cuando la gran fisura en la ciudad se llena de agua, y luego baja. La fisura es enorme, tiene unos sesenta metros de profundidad, y el agua la inunda. Entonces, en medio de la ciudad, una sección de la tierra cae al suelo. Se abre como una grieta. Entonces el agua entra a toda velocidad en su interior y el mar Euxino se vacía como un cuenco que vierte agua, haciendo subir el mar Egeo. El agua inunda el lugar en el que antes había estado nuestra ciudad. Eso es todo. Entonces pierdo interés. Oigo una sirena llamando en la distancia. Estoy abandonando la tierra que tiembla y el mar que se agita, y me elevo a toda velocidad hacia el cielo azul que siempre espera a mi regreso. A continuación, oigo una voz clara y profética que habla a todo mi pueblo y a mí:

«*La consciencia de masas trabaja a través del tiempo meteorológico y los desastres geofísicos para permitir que las personas se demuestren a sí mismas opciones que, o bien les muestran que su vida ha llegado a un punto muerto, o bien hacen que reúnan la fortaleza y la fuerza de carácter para completar las lecciones que el Yo Interior les exige. Esto es cierto, independientemente de la elección que haga la consciencia de masas respecto a qué probabilidad o qué combinación de probabilidades va a realizar.*

»Este planeta, que experimentan muchas personas espirituales de alto nivel, es la Tierra central entre un gran número de Tierras probables, y cada una de ellas explora una de las experiencias que mencionamos o una combinación de varias. Este planeta es emocionalmente inestable precisamente porque, literalmente, ha superpuesto en él figuras fantasmales de varias realidades que están ocurriendo poderosamente en otras Tierras en esos diversos sistemas distintos. A menudo, las personas que están en esa etapa de la consciencia en que pueden participar en esta realidad y en otras realidades tienen visiones de desastres, como los que vosotros percibís, porque están sintonizando con lo que está ocurriendo ahora en una

de esas Tierras probables. Durante un período habéis cambiado vuestro punto de concentración para poder estar presentes en ese planeta en su actual línea de desarrollo. Pero siempre regresaréis a éste, porque las lecciones más poderosas para el tipo de consciencia particular que habéis desarrollado deben aprenderse mediante vuestra capacidad de mantener todas las versiones posibles a las que seáis capaces de acceder sin quemaros.

»La conciencia fundamental es que debéis mantener todos esos niveles de realidad en vuestro corazón, porque nadie sabe qué ocurrirá a continuación. Incluso los Maestros dicen que no saben nada acerca del futuro después del año 1999. Llegado ese punto, podría tener lugar una crisis en la acumulación de todos los actos humanos que creará una nueva realidad que estará libre de desequilibrios. Cristo plantó la semilla en vuestro planeta, pero los teólogos y los sacerdotes ocultaron su revelación. Con el tiempo, todo se verá».

12

La visión del Cristo

La sabiduría egipcia nos aconseja mantener el ka *(el cuerpo doble o emocional) dentro de nosotros y grabar concienzudamente nuestras experiencias durante toda la serie de encarnaciones en el* ba *(el alma). La idea es vivir la vida con la ayuda de la sabiduría de vidas anteriores. Entonces tu alma tendrá libre albedrío. Dado que el tiempo es esférico, la conciencia del pasado puede ser grabada en la conciencia actual por medio de una iniciación. Es posible que conozcas la finalidad de una encarnación porque tu cuerpo tiene una memoria del tiempo esférico.*

La iniciación superior es la infusión del tiempo esférico personal en una persona que es entrenada cuidadosamente para dicha conciencia total. Toda la conciencia está en tu cuerpo; lo único que tienes que hacer es escucharla. Por ejemplo, la próxima vez que subas a la cima de una montaña y te transfigures, armonízate con los centros superiores en tu cerebro interno y observa qué neuronas están vibrando. Cuando estés teniendo una experiencia de consciencia superior, siente los lugares y las vibraciones en tu cabeza. Aprende a usar esos viejos órganos perceptivos que no has utilizado en mucho tiempo. No es normal carecer de sensaciones en tu hipotálamo o glándula pineal. Si realmente quieres la verdad, siente tu propio corazón. La próxima vez que sientas dolor en el corazón, entra en el dolor para encontrar tus nudos interiores. Si lo deseas, puedes avanzar a través de ellos.

Los egiptólogos se devanan los sesos para comprender las jarras canópicas utilizadas para conservar los órganos internos de las mo-

*mias. Había un buen motivo para todo ese esfuerzo. Los egipcios
sabían que los órganos contienen las emociones, y la manera de eliminar los bloqueos emocionales y el karma no resuelto era extirpar
los órganos del cuerpo. De modo que, después de la muerte, extirpa-
ban los órganos principales y los guardaban en las jarras canópicas
para contener la memoria. Los egiptólogos se preguntan por qué los
sacerdotes extraían el cerebro del cadáver. Los antiguos egipcios de-
volvían el cerebro al medio ambiente para alimentar a la naturaleza
con la inteligencia. Nuestros secretos más profundos están en los
nudos y el dolor que hay en nuestros cuerpos. El secreto del profeta
hebreo emerge de un lugar de dolor en el cuerpo del druida.*

Tengo treinta y dos años y soy el druida. La luz del día ha llegado con
una neblina gris en el aire y en el campo en el que me encuentro hay
musgo verde y rocas grises cubiertas de liquen. Hace un día brumoso,
lluvioso y húmedo, tras una noche de viento y tormenta. Camino solo, con mi capa gris sobre los hombros. Me aproximo a una cueva y
miro por encima de mi hombro para ver si hay alguien en los alrede-
dores. Veo un ojo rojo; camino más rápido hasta la entrada de la
cueva y entro. Dentro hay humedad, y cuando me interno un poco
más en la cueva puedo oír el agua. Un manantial corre con fuerza,
porque esta época del año es lluviosa. La cueva es un poco estrecha.
He estado aquí antes. Me siento con las manos sobre las rodillas, escuchando los sonidos del agua. Este es un manantial oracular. Siento
unas pequeñas bolitas que giran en el centro de mi cráneo, detrás de
las esferas de mis ojos. Si escucho al agua, puedo oír voces.

Veamos, ¿para qué vine aquí? Evité a otras personas ahí fuera
porque no quiero que nadie conozca este lugar. Soy el conducto para
mucha información necesaria. Escucho para averiguar qué es lo que
debe saberse. A continuación, llevo a cabo las acciones adecuadas,
basándome en lo que averiguo en la fuente. El agua sale en un chorro
delgado y yo recibo información. Este es el rito de Licorea, el lobo de
plata.

Estoy aquí para recibir información acerca de la corte inglesa.
Soy de Renania, pero trabajo con una hermandad secreta de Inglaterra. Estoy involucrado en la corte, que no es cristiana. Soy un druida

y mi grupo es el *Liber Frater*. Parte de mi trabajo consiste en diferenciar a las personas. Las evalúo en relación con una finalidad mayor. Si sus energías son buenas y ellas son dignas de confianza, les transmito mensajes.

Los hermanos están conmigo y tenemos un plan. También trabajamos con Maestros de otros planos. Yo reconozco a los otros humanos que trabajan con los Maestros por sus ojos. Además, cuando me encuentro con alguien que trabaja en el plan, siempre se calienta el lugar entre mis ojos, en mi frente, o se calienta mi cristal.

No creo que ninguna otra persona reciba información de la manera en que yo lo hago, y a veces me siento muy solo. Esa es la verdadera cruz de mi trabajo. No creo que haya otras personas que reciban información del agua en una cueva, pero jamás lo sabré, porque no se habla de este tipo de cosas. En estos momentos deseo explicar cómo funciona el secreto iniciador. Los conocimientos secretos del pasado pueden ser comunicados, pero las técnicas actuales deben mantenerse en secreto. Transmitimos conocimientos secretos del pasado para estimular a la gente contemporánea que puede poseer habilidades intuitivas no reconocidas. Así es como activamos el superconsciente. Pero la sabiduría iniciadora actual siempre está protegida porque el poder se pierde si cualquier conocimiento es compartido. De modo que los iniciados tienen una existencia solitaria en el plano humano, aunque están en comunión con las fuerzas divinas.

Estoy aquí esta noche porque necesito saber si el hermano del rey es digno de confianza o si no lo es. Observamos, influimos e instruimos a aquellas personas que trabajan con los reyes para proteger a la gente. El rey puede ser un conducto de la divinidad o un maestro de la opresión. Así pues, los reyes llevan unas pesadas cargas kármicas. El hermano del rey está enamorado de la esposa de éste, y tememos que vaya a provocar la muerte del rey. Estoy aquí para saber si la esposa del rey le es infiel. El rey es Sigeberto, su esposa es Brunekhilda y el hermano del rey es Childe. Pongo mis manos sobre mis rodillas. Estoy de cuclillas sobre un saliente que está delante del manantial que cae en un chorro fino mientras yo escucho. El agua que sale de las rocas produce un sonido hipnótico, burbujeante. Las rocas relucen. La energía entra por la parte posterior de mis hombros y siento ganas de girarme. Mientras escucho, mi cabeza se mueve bruscamente hacia la izquierda y siento que la energía está entrando por el lado derecho de mi cuello.

El conocimiento llega a mí: Childe está pensando matar a su hermano. Brunekhilda no ama a Sigeberto; nunca lo ha amado y es una manipuladora. Hay muchísimos rumores en la corte, pero nadie sabe realmente lo que está ocurriendo. Sólo se me ocurrió a mí preguntarme esto un día después de haber visto a Brunekhilda mirar de una forma extraña a Childe. De modo que escucho un poco más. Ella nunca lo amó y yo nunca me di cuenta de ello. Está conspirando mientras tiene una aventura con Childe. Esto es indignante, porque ella va a tener un hijo de Childe en lugar de tenerlo de su propio marido. Y Childe es ambivalente, tiene sentimientos encontrados y no quiere matar a su hermano. Ella no tiene sentimientos al respecto, en absoluto, y está intentando manipular a Childe para que mate a Sigeberto.

Ahora que entiendo lo que está ocurriendo, me preocupa el efecto de esta situación fuera de Gran Bretaña. Si la monarquía se debilita, los invasores del norte y del este entrarán. Siempre están listos para hacerlo. En estos momentos, la monarquía está mezclada con algunos cristianos, y hay algunos que todavía nos escuchan. El culto romano de Mitra es más fuerte en Renania que aquí, donde los druidas todavía tienen algo de poder. De modo que cuando estoy en Renania, soy un Maestro druida de la *Liber Frater* en secreto y un sacerdote romano en público. Aquí, en Gran Bretaña, soy un druida y soy conocido porque participo en rituales como los que se celebran en Avebury. Pero mi trabajo como Maestro siempre es secreto. Tengo mucho poder en la corte porque el alto clero de los druidas tiene una considerable influencia ahí. En lo que respecta al rey, él parece no creer en nada.

Básicamente, esta es una era agnóstica. Los que son místicos participan en los rituales druidas. La gente a veces asiste a los festivales druidas, pero viene principalmente para comer, y le gusta la energía. También vienen ocasionalmente a los festivales de la corte para comer. El motivo por el cual estoy involucrado en la corte no es porque yo sea un druida. Influyo en la corte porque soy un hermano. Nosotros siempre existimos e influimos en la política. Solamente tengo que saber lo que está ocurriendo todo el tiempo, por si tengo la oportunidad de mejorar la energía. Si Childe va a matar a su hermano, entonces haré lo que pueda para minimizar las dificultades resultantes.

Estoy preocupado por el efecto que esto vaya a tener en Renania y en Galia. Esto es interesante. Me concentro en una formación rocosa que está frente al lugar donde estoy sentado, una repisa con un área ahuecada a mi espalda. Hay un pequeño rostro felino tallado en la roca y debajo de él hay unas piedras pequeñas y cristales de cuarzo mezclados. Me concentro en la parte posterior, que tiene unos cinco o seis pies de ancho. El manantial está a mi derecha. Escuchando el burbujeo, libero mis ojos ocultos mirando fijamente al agua que cae sobre las resplandecientes rocas. Puedo ver impresiones en la parte posterior de la roca. Quiero saber cuáles serían los efectos del asesinato de Sigeberto. Lo primero que consigo oír son los nombres de aquellos a los que estoy llamando. Estoy llamando a Rurick y ya estoy conectando con Lucca. Pongo las manos sobre mi cabeza, presionándola ligeramente; miro fijamente la parte posterior de la roca y los tengo visualizados. Puedo ver claramente los ojos de Rurick. Mientras los visualizo, les envío toda la forma de pensamientos de la situación política de Sigeberto, Childe y Bunekhilda. La reciben instantáneamente en sus mentes.

Llegado este punto, el manantial aumenta su actividad: se vuelve sumamente activo. Las piedras se están moviendo y veo claramente que esta situación es muy ominosa para Renania. Las tribus del norte y el este atacarán con mayor rapidez. Ahora, siento un dolor terrible en mi brazo derecho. Realmente me duele mientras sintonizo con lo que están haciendo. Lucca tiene un anillo con una piedra de cornalina roja engastada. Frota su anillo ligeramente y sabe. Mi brazo derecho está siendo poseído, mientras una voz se manifiesta en los profundos pasajes del plano etérico con un mensaje claro: «Entra en tu brazo, entra profundamente en tu brazo para retirar el cuchillo de conciencia. Porque en este momento, te decimos, tienes que cortar y atravesar las últimas capas del corazón».

Mi propio brazo me está apuñalando; alguna forma de mí me acuchilla fuertemente porque estoy intentando influir en las cosas más de lo que debiera. Este dolor de apuñalamiento proviene de una vida anterior. En el rostro de la roca reluciente me veo a mí mismo con el cabello grueso y espeso. La luz irradia sobre la parte superior de mi cabeza, donde soy calvo. Soy grande y llevo puestos unos mantos ondeantes. Tengo unos ojos de color azul claro en un rostro fuerte, con pómulos prominentes, un gran mentón y dientes fuertes. Estoy sosteniendo un báculo de madera, un bastón, al viento, y mis mantos están agitándose. Entro en ese cuerpo. Ahora me veo como alguien todavía más joven, de pie en el viento, con mi báculo pastoral. Tengo el pelo muy oscuro y soy un ser poderoso, como una intensa tormenta. Mi nombre es Isaías. Agarro el báculo con mucha fuerza. Lo introduzco con fuerza en la Tierra para obtener mi poder. Contengo la energía magnética en el interior de la Tierra con los músculos que están más arriba de mi codo. Entro en el druida que está en la cueva, que viene después de mi época. Tengo una pregunta para él porque la historia de mi época es absolutamente trágica. Le pregunto al agua que siente gotear en la mente del druida, si es inútil, o no, entrometerse o interferir en las cosas que otras personas van a hacer. Específicamente, ¿es posible que uno intente interferir demasiado?

«No hay límite a tu influencia si tu intención es emocionalmente clara. El dolor en tu brazo viene por haber intentado influir excesivamente en los acontecimientos, por preocuparte demasiado por un dilema político en otra época. Temes demasiado por el rey, debido a un experiencia negativa en una vida anterior». El dolor en mi brazo desaparece inmediatamente cuando su fuente es identificada.

Hemos llegado al umbral de lo esencial del asunto. Al final de la Era de Piscis, la Crucifixión sigue siendo un símbolo poderoso y algunos de vosotros estáis colgados de esta cruz. Cristo alcanzó todo su potencial y por ello fue crucificado. La consecuencia de esto fueron dos mil años en los que la gente murió en el garrote, en la hoguera y, más recientemente, por irradiación de polución atómica. ¿Hay alguien ahí fuera que no crea que hemos tenido suficiente? ¿No es hora de que entremos en los lugares de dolor y dejemos de crucificarnos?

Para buscar la iluminación, hay que explorar a fondo el cuerpo emocional durante cada encarnación. La teología egipcia, en la que el ka es el cuerpo emocional, es sumamente práctica. Los antiguos egipcios pasaban mucho tiempo manteniendo su ka incorporado, porque sabían que si evitaban entrar en el dolor, el ka se saldría del cuerpo. Estaban siempre negociando con su ka, haciendo ofrendas para que permaneciera ahí. Si quieres progresar, debes contener tu cuerpo emocional en tu cuerpo físico. Pero tu cuerpo emocional se saldrá de un salto si tienes demasiados traumas no procesados de vidas anteriores. Ahora puedes entender por qué la Iglesia Católica hizo tantos esfuerzos para eliminar la teología de la encarnación durante la Era de Piscis. Si llevas contigo de una vida a otra los registros terrestres que están en tu ka, entonces no necesitas que la Iglesia te diga cómo encontrar la Fuente divina. Tú sabes más sobre tus éxitos y tus fracasos que lo que cualquier sacerdote podría llegar a imaginar. Puedes ser un radiante almacén de sabiduría que no necesita ninguna confesión.

Del mismo modo en que debes averiguar cómo responde tu cerebro a las experiencias de la consciencia superior, también debes saber dónde te deja tu cuerpo emocional, para que puedas atraerlo otra vez hacia tu interior. Además, controlar tu cuerpo emocional tiene grandes ventajas, porque su mellizo (el cuerpo astral) es un gran viajero si aprendes a permanecer con él. Tu cuerpo astral te llevará dondequiera que desees viajar para tener cualquier experiencia que quieras tener.

Tu cuerpo emocional es la parte de ti que te conecta con otros niveles de existencia, si puedes limpiarlo de traumas del pasado y del presente. Tu cuerpo astral está lleno de largos hilos de luz que van muy lejos, a lugares misteriosos que jamás soñaste que existieran: se extiende hacia nueve dimensiones. Ahora, el Sacerdote de Enoch está gritando para contarte sus secretos. Estuvo ahí durante el movimiento de la Era de Cáncer hacia Géminis en el año 6700 a. C. Enoch llega con una revelación.

Llevo puestas unas sandalias doradas y azules. Mis piernas son peludas y están descubiertas, y la falda me llega hasta las rodillas. Soy un hombre grande, con un ligero sobrepeso, sin ningún pelo en la cabeza. La piel de mi rostro es flácida y carnosa, mi nariz es larga y recta, y tengo los labios delgados y prietos. Llevo puesto un collar de metal que se dobla hacia arriba en los hombros. Tiene joyas engastadas: zafiro, esmeralda, rubí, turmalina, topacio, amatista y cristal. El traje en la parte superior de mi cuerpo es como una armadura y el collar es un escudo de energía debajo de mis orejas. La armadura es un escudo suave alrededor de mis hombros y sobre mi pecho. Debajo de ella llevo una camisa tejida con hilos de plata. Todo es metálico. Llevo puesto un cinturón de diez centímetros de ancho alrededor de la cintura, con entre siete y nueve conductores de energía sujetados a él. En estos momentos están activados. Debajo del cinturón hay más armadura de metal, con la falda debajo. La piel en mis gruesas manos es blanca, con el pelo oscuro, y no llevo puesto ningún anillo. En las muñecas tengo unos transmisores de energía de siete centímetros y medio de ancho, con una joya invertida engastada en cada uno de ellos. Estas joyas son metálicas, quizás de aluminio, y cóncavas, con luz blanca en el interior. Normalmente no suelo ponerme este atuendo.

Estoy de pie sobre una piedra de mármol pulido con forma de medialuna. El semicírculo está delante de mí, y estoy a dos pies y medio de distancia del borde recto que está detrás de mí. Esta medialuna está dentro de un cuenco. Yo estoy dentro del cuenco y su borde se abre hacia el cielo. Me encuentro dentro de este cono redondeado, y mi cabeza y cuello sobresalen por encima del borde, que está elevado. Lo único que puedo ver ahora es el cielo. Hay unas pocas nubes y en estos momentos no hay ningún vehículo volando. Pero volvamos ahora a los aparatos que tengo en las muñecas.

Estamos en la Atlántida y los aparatos de las muñecas están hechos de lapislázuli y coral. La joya cóncava es atlante y uso estos aparatos para contactar con los egipcios, que están más adelante en el tiempo. Estamos en el año 6700 a. C., por encima del desierto de Gobi. Con estos aparatos puedo retroceder y avanzar en el tiempo. En estos momentos, mis escudos me protegen del poder del sonido que está fuera. Han sido creados por mi propia visualización. En este caso, me veo encerrado dentro de una geoda de amatista. Transmiten energías de sonido dentro de este cono, y si no fuera por los escudos, que también son protectores del tiempo, me destruirían. Mantengo mi integridad física mientras experimento esta energía. Sin la protección del tiempo, la naturaleza holográfica de mi consciencia se desintegraría. Yo desaparecería como una imagen que ya no existe en el campo refractario de un espejo. Claro que, ¿qué importancia tendría que eso ocurriese? He venido a transmitir un mensaje clave a vuestra era a través de los velos del tiempo. Ha llegado la hora de comprender la encarnación de Cristo. Específicamente, voy a mostraros lo que ocurre cuando comienza una nueva era grandiosa, para que podáis ver por qué Cristo está presente en vuestra realidad. Él vino para abrir la Era de Piscis, no para estar en una cruz.

Estoy dentro del cono y también soy consciente de lo que ocurre fuera. Este cono está descansando sobre la parte superior de la pirámide escalonada, la más antigua en el planeta en esta época, porque muchas cosas se perdieron en la inundación. Ésta todavía funciona, y volvemos a esta pirámide cuando las Eras cambian: en este caso pasamos de la Era de Cáncer a la de Géminis en el año 6700 a. C. La Era de Géminis fue una época de gran aceleración de la consciencia en la Tierra. Mientras vosotros conocéis mis actividades, estos cambios de las Eras son puntos de dicotomía críticos cuando muchas fuerzas que normalmente están bloqueadas pueden influir en la Tierra. Pero no seamos demasiado complejos tan pronto.

La mayor parte de lo que está ocurriendo ahí, alrededor de la pirámide, ocurre en el astral, y yo puedo relacionarme con ello. No sé qué hay dentro de la pirámide en esta época. Hay una galería hecha de piedra blanca pulida que rodea la pirámide escalonada de cuatro lados. Estoy con mi gente por encima de la pirámide; estamos en el astral y los sacerdotes que se encuentran abajo pueden entrar en contacto con nosotros. Si nos manifestáramos en el plano físico, destruiríamos a todos los seres que están ahí abajo. Sin embargo, ellos nos conocen en su corazón y en su tercer ojo. Han sido entrenados a fondo para la verificación oculta, la cual les enseñamos en sus sueños. Ellos confían en su corazón y en el tercer ojo tanto como confían en sus ojos y en sus oídos. Si nosotros apareciésemos en el plano físico, los destruiríamos en dicho plano porque estaríamos alterando las leyes terrestres del tiempo.

Las leyes cósmicas del tiempo dirigen el desarrollo del plan divino a través de la evolución, y cada nueva forma nace a su debido tiempo. Si se interfiere con estas leyes, una gran destrucción tiene lugar en todos los planos. No se nos permite destruir ni una molécula, ni un ser, ni una forma. Siempre estamos deseosos de entrar en contacto con los humanos, porque ellos progresan muy lentamente. Deseamos interferir a menudo, para hacer que la consciencia evolucione, para promover el amor, la fuerza positiva o la acción. Siempre luchamos por el máximo desarrollo. Ese es el motivo por el cual existimos. Pero las leyes del tiempo son más importantes que las leyes del karma. Pocas personas comprenden esto, porque aunque muchas experimentan las leyes del karma, muy pocas entienden las leyes del tiempo. No puedes vivir el tiempo, por ejemplo, como vives el karma. El tiempo es la dimensión que hace que todo exista en todos los planos o las dimensiones. Uno conoce la causa y efecto, por así decirlo, pero rara vez puede ver la progresión completa, porque no es algo lineal. La mente divina no es lineal, pero la mente humana sí lo es. Cristo siempre ha existido y siempre existirá; la única pregunta es cuánto podéis llegar a conocerlo. No experimentáis el tiempo, sólo su paso, pero experimentáis el fenómeno de causa y efecto: el karma. El cristianismo está diseñado para ignorar el tema de causa y efecto, la Ley del Karma. Podríais modificar toda la existencia en un instante si pudierais escuchar lo que estoy diciendo. Experimentáis la acumulación de recuerdos emocionales en el cuerpo, no en el tiempo, que es la esencia de la mente divina.

La conexión del tiempo con el plano físico es donde existe el plano del Uno. Habláis de ello continuamente, de que todo existe en un momento dado, de que el tiempo no existe, etcétera, pero no os lo creéis. Piensa en ello: llevas en tu interior, en tu cuerpo, la conciencia de que el tiempo lineal no es real. Crear algo con la mente es simplemente hacer que algo ocurra en el momento adecuado. El momento adecuado es cuando está presente una cierta matriz de energías, que tiene la potencia para convertirse en forma. Estas matrices son detectables porque lo divino vive dentro de ti. Eso es el regalo de la vida. Todo irradia de eso, de modo que la energía puede ser experimentada, mejorada y dirigida. Simplemente, obsérvame.

Estoy en el cono, en la parte superior de esta pirámide escalonada, en este tiempo específico, por un motivo específico. En esta coyuntura, puedo utilizar fuerzas físicas, a pesar de que en realidad no soy sólido tal como vosotros lo entendéis. Por favor, no nos temáis. En lugar de eso, usad vuestras propias energías protectoras contra vuestros científicos oscuros. Continuemos con la acción. Soy consciente de lo que está haciendo todo el mundo, puesto que necesito saber exactamente qué está ocurriendo en todo momento. La finalidad del cono es tomar las energías focales (las energías del semicírculo pulido que está a mis pies) y hacerlas esféricas. Hicimos volar el cono hasta aquí y lo colocamos en la cima de la pirámide escalonada. No podemos atravesar el camino kármico de ningún ser individual que esté abajo, pero debemos maximizar este momento de precesión de Cáncer a Géminis. Los sacerdotes que están abajo no pueden vernos, así que voy a sintonizar con ellos. Ellos son conscientes de mi presencia, pero no pueden verme. Son más físicos que yo, pero participan de mi consciencia.

Ellos hacen muy bien sus oficios sacerdotales. Se esfuerzan mucho, pero a menudo fallan. Nosotros sintonizamos con ellos y los organizamos y reestructuramos de cualquier forma en que podamos hacerlo, pero la voluntad es un problema. Ellos tienen que darnos permiso para que los influenciemos. A veces esperamos mucho tiempo para que lo hagan. Llegamos a ellos principalmente por la mente, no por el corazón. Yo hago esto con los aparatos que tengo en las muñecas. El disco convexo en el aparato que hay en cada muñeca es el mismo que Ichor veía en la cima de la pirámide pequeña en Filae, antes de iniciar su viaje por el Nilo cada año. La sustancia que hay en él es líquida, no sólida, pero se vuelve sólida en el aparato y forma un Ojo de Horus, la manifestación de lo divino en el tiempo a través de frecuencias.

Cuando miro dentro de ellos, puedo ver ángulos refractores que se asemejan a la parte superior de unos conos. Es como mirar el interior de una colmena de plata. Puedo ver con mucha claridad, porque también son mis ojos. Si tuviera que ver el interior de mis propios ojos, vería que son los iris. Las vibraciones de sonido en el cono solidifican el mercurio en la lente convexa. Los sentidos físicos son transmisores en el plano físico, pero no se nos ocurre pensar que nuestros sentidos puedan verdaderamente afectar a la materia. Somos perezosos con nuestros pensamientos, porque subestimamos lo que realmente está ocurriendo. Los egipcios enfocaban este tema diciendo que Amen, el invisible, es el *ba* en todas las cosas. Fíjate en lo que dices al final de tus oraciones cristianas cada día. Si dominas la conciencia de que puedes VER el tiempo, podrás ver todos los niveles de la realidad, todas las dimensiones. Este es el dato más simple y más útil sobre la Tierra, pero sólo los astrólogos son formados a partir de este principio, y la gente los ridiculiza. Ellos son unos maestros maximizando el momento y saben cuándo no hay que actuar. Con el *I Ching* se puede VER el tiempo. También te resultará útil saber que aprender una habilidad adivinatoria es absolutamente esencial para conseguir la verificación oculta. De modo que el ojo es la clave para la transmutación de energía, o la manera en que se manifiestan las formas de pensamientos. La actualización del tiempo es como la manifestación en el tiempo de una forma de pensamiento, y la estructura del ojo es la clave del modo en que esto funciona.

Para entenderlo mejor, míralo en términos de un lugar. Primero, si estudias una dualidad, aparentemente puedes ver más en el plano físico que si vieras la unidad de ello. Si lo conviertes en un tema con cuatro lados, puedes ver más. Si lo miras de doce maneras, verás más. Y si lo miras en un círculo de 360 grados puedes ver todavía más. El globo ocular mismo es como una bola de cristal. La superficie del ojo es convexa y trae luz cuando se accede a las formas de pensamiento en la superficie convexa interior. Esta luz viaja hasta el tronco encefálico, donde puedes ver cómo se manifiesta una forma de pensamiento. Por lo tanto, la clave para actualizar lo que uno desea es meditar sobre la acción del ojo, lo cual es sumamente intuitivo. Del mismo modo en que el ojo ve y transmite, así también es como sabemos intuitivamente qué es lo importante. Este también es el motivo por el cual los egipcios reverencian al tercer ojo y al Ojo de Horus.

El momento está llegando, así que permitidme que sienta la conexión con los sacerdotes y las sacerdotisas que están en el suelo. Súbitamente, el cielo que está por encima del cono se llena de ángeles. Son diáfanos, de color blanco y azul, y vibran. Ellos son mentales, yo soy astral y los sacerdotes que están abajo son físicos. Todos estamos trabajando en armonía y mi función aquí es conectar lo mental con lo físico. En realidad es una tarea difícil porque significa infundir una nueva idea en el nivel físico, para que el cambio sea posible en el plano físico. Esto sólo funciona mediante la manipulación de la conexión astral: esa es mi habilidad. Los humanos pueden conectar lo mental con lo físico si se sumergen en sus emociones. Pero ya he hablado bastante; ahora os mostraré cómo funciona.

Los ángeles deben conectar con los sacerdotes y las sacerdotisas que están ahí abajo, pero todos están jugando en el cielo. Están nadando en la luz del Sol, y yo tengo que conseguir que se pongan serios. Nimbah, una sacerdotisa del fuego, está ahí abajo, y ella es la clave. De modo que entro en su consciencia y ella se queda quieta. Enciende el fuego (se oye un ruido) en un receptáculo de piedra vaciada. Abajo, la gente deja de hacer lo que está haciendo Los sacerdotes y las sacerdotisas también se detienen cuando oyen el viento del espíritu, y entonces comienza el tiempo sagrado. Para ellos, oír este viento es como oír la música de las esferas. Es por este motivo que se utilizan plumas de águila para capturar el viento y hacer que el espíritu sea visible en el humo. El viento activa el plano divino cuando mueve la parte blanda de la pluma de águila. Un ángel flota por encima de cada uno de los sacerdotes y las sacerdotisas, quienes se colocan rápidamente en cada esquina de la pirámide y en el medio de las escaleras que descienden por los lados. Ellos están de pie y mueven sus manos hacia arriba para elevar energía, y luego empiezan a caminar hacia adelante.

Esto es milagroso. Hemos estado teniendo muchos problemas con ellos porque han estado actuando como idiotas. Han estado utilizando la cima de la pirámide para realizar sacrificios porque tienen miedo de todos los cambios. Ahora simplemente se colocan en su sitio por primera vez en sus vidas, como si supieran hacer esto desde siempre. La pirámide siente su poder y cobra vida con la energía. Ese es el momento exacto en el que el equinoccio realiza la precesión de Cáncer a Géminis. Los ocho sacerdotes y sacerdotisas están completamente conectados con el plano angélico y están extáticos. La pirámide se vuelve menos densa mientras pulsa con la luz blanca. Estoy preparado.

Transmuto toda mi esencia a través de los iris de mis ojos hasta el lugar de Géminis en la Eclíptica, el dominio de los Gemelos y la creación por la dualidad. Cada fibra de mi esencia empieza a pasar a otro lugar mientras los conos de mis muñecas y los activadores de energía de mi cinturón envían una señal cósmica masiva a todos los seres de la Tierra. Misteriosamente, todos los símbolos cambiarán repentinamente, dejando de ser el Cangrejo para convertirse en los Gemelos: la activación del plano mental humano de Géminis. Mientras la señal irradia por encima de mí y llega a todos los lugares en la Tierra, los sacerdotes y las sacerdotisas van a la pirámide. Una onda de sonido increíble se mueve por el espacio, a través de todas las esferas y galaxias, llegando hasta todas las supernovas, y el cosmos cambia para siempre. Recordad que la Tierra es el lugar en el que los símbolos existen en el cosmos. Una Nueva Era ha nacido. La última conexión es un nuevo pensamiento en la mente divina: Géminis está aquí. El siguiente signo de aire, cuando la energía proveniente de la Mente Divina se mueva rápidamente por el plano humano, será la Era de Acuario: de 1999 a 4200.

Hemos estado contemplando una visión del Ojo de Horus en el cuerpo del centauro Quirón. Ese es el motivo por el cual este libro se titula El ojo del centauro. *La visión fundamental es una que una parte de nosotros conoce bien, pero que otra parte de nosotros rechaza: la visión del Cristo. Conocemos la visión en nuestros corazones, pero la rechazamos en nuestras mentes, así que esta es la penúltima experiencia centrante para todos nosotros. Puede llevarnos hasta las estrellas. Tú eres un ser compuesto de vértices de energía, con tanto espacio entre cada molécula, que estás vacío. Solamente te conoces a ti mismo por lo que experimentas y sientes, y tu principio organizador es la polaridad. Algunos la llaman yin y yang, positivo y negativo, o masculino y femenino. Puesto que tu manera principal de conocer es emocional y astral, sólo aprendes a sentir tu propia masa vibrante de partículas de energía experimentando todo el alcance de lo masculino y lo femenino. Recuerda: la distancia de una molécula a otra en tu cuerpo es de unas cuantas millas. Detente un momento, cierra los ojos y escucha el silencio cósmico en la nada que hay en el interior de tu Ser. Y luego vuelve a empezar y lleva la polaridad a la experiencia.*

Estás insensibilizado, ¿lo sabías? Para evitar enfrentarte a tu vacío, te has permitido existir únicamente en pautas y circunstancias conocidas. ¡Pero Cristo llena todo el espacio que hay entre tus moléculas y tú! Deja ir los patrones, permítete tener tu primera percepción del vacío y luego, simplemente di: esto es. Esa es una verificación oculta. Cada vez que te ocurra algo que provenga de la nada interior, aprende a decir: esto es. Cuando veas al Cristo, entonces sabrás que lo has visto.

Soy alto y tengo un cuerpo fuerte. Mi cabellera gruesa, rizada y salvaje es negra, con algunas canas. Siento que mi rostro es áspero. Mis ojos son intensos, brillantes y penetrantes, mi frente es pesada y de mis ojos sale fuego. Recién entrado en este cuerpo, lo único que podía sentir era una energía caliente. Son las energías de la luz y del fuego mezcladas: no son eléctricas, sino que más bien son como energía de luz magnética. Me siento menos denso que en mi encarnación como Barbara. Siento que mi cuerpo está muy equilibrado, como si tuviera una salud perfecta, pero rebosante de fuerza magnética. La energía está distribuida por todas partes en mi cuerpo y mis ojos son inquietantes y poderosos: a la gente no le gusta mirarlos. Puedes reconocer a los que resplandecen, por el fuego que hay en su mirada. Yo soy muy independiente. Debo de tener unos escudos asombrosos, porque irradio toda esta energía hacia afuera, pero nadie puede penetrarla. Esta energía es en cierto modo muy extraterrestre, como si fuera de otro lugar, pero está totalmente contenida en mi cuerpo. Este cuerpo está completamente formado y desarrollado con una finalidad, y esa finalidad está claramente definida. No estoy dentro de mi cuerpo, estoy exactamente en mi campo de energía en el límite de él: mi aura. Mi aura es luz blanca intensa y nada penetra a través de ella. Es una densa red etérica de intensa luz blanca sólidamente tejida.

Estoy encima de unas rocas, cuidando de un rebaño de ovejas: una función religiosa de protección genética. Soy Pastor, la más alta manifestación de energía en el planeta. Cuidar de las ovejas en el plano físico es la forma en que me mantengo equilibrado, en que me anclo en este planeta. Este trabajo es relajante, y cuidar del rebaño es mi manera de comunicarme con mi pueblo.

Estoy de pie junto a una roca de unos seis metros de altura y tres metros de ancho en el borde de un precipicio que está justo debajo de una meseta. La parte superior está ligeramente más arriba de donde yo me encuentro. El viento está golpeando la roca y soplando sobre mí. Fui llamado aquí para una reunión mediante mi intuición, el lugar a donde se envían los mensajes. He venido aquí porque fui llamado.

Súbitamente, arriba, muy arriba, a mi derecha, se produce una explosión luminosa en el cielo. Es plena noche, son aproximadamente las dos de la madrugada y hace frío. Las estrellas brillan con mucha fuerza porque no hay luna. El intenso resplandor a mi derecha proyecta rayos de luz hacia mí; algunos de ellos me tocan y otros van hacia los lados. Esto está haciéndome temblar. Nunca había visto nada parecido: ¿serán ángeles? La única manera de ver esto con mis ojos físicos es verlos como ángeles, pero esta es una fuerza energética que no consigo ver realmente.

Se está acercando. Ahora la puedo ver. Se trata de un vehículo volador con forma de plato. El cuerpo principal es de un intenso color morado y tiene láminas de metal con líneas blancas. El vehículo avanza hacia la parte superior de la meseta que está encima de mí y, mientras se va acercando, va irradiando una luz sumamente potente y unos rayos de sonido: «tchu, tchu, tchuuu». Así es como se enfrenta a los cambios de frecuencia mientras entra en esta densidad. El rayo alinea al vehículo y el vehículo crea un campo de energía a su alrededor para poder moverse dentro de él. Si alguna otra persona estuviera mirándolo, también podría verlo. Es tarde por la noche y estoy muy lejos de todo, de modo que probablemente nadie más lo estará viendo. Yo mismo no lo había visto nunca antes. Había tenido conocimiento de su existencia a través de comunicaciones mentales, pero jamás había visto el vehículo. Es precioso.

Nosotros no somos tecnológicos y ellos son sumamente tecnológicos. No sabría cómo describir esto en mi propia realidad, pero

puesto que estas cosas existen en la realidad de Barbara, puedo describirlo. Este es el motivo por el cual las descripciones de vehículos en la Biblia no se tomaban de una forma literal, hasta que estos vehículos fueron descubiertos otra vez. La nave flota por encima de la meseta y deja de lanzar esas ondas magnéticas de sonido y luz a través del agujero en el centro de su base. Estoy entre tres metros y medio y nueve metros por debajo de la parte alta de la meseta. Quiero acercarme, así que doy media vuelta y coloco mi mano sobre la roca, pero la quito rápidamente porque está magnetizada. Siento una quemazón y un chisporroteo eléctrico en mis pies. Me quité las sandalias hace un minuto, de modo que ahora estoy descalzo.

Hay un agujero en la base del vehículo y, mientras lo observo desde el lugar en el que me encuentro, un rayo circular de fuerza luminosa sale de él y llega hasta el suelo. Es como un escudo hecho de luz, un escudo magnético de fuerza luminosa que forma un círculo en la meseta que está más arriba de donde yo estoy. Quiero subir ahí, pero tengo miedo de tocar las rocas otra vez, por la electricidad que desprenden. Espero. Un ser resplandeciente con una túnica blanca baja del vehículo delante de mí. Me pregunto si es el gran Anu. Puedo ver a través de su cuerpo, pero, sin embargo, tiene una solidez luminosa. Su cabellera es espesa y castaña, y eso es lo más físico que hay en él. Pero también está brillando y su rostro es todo luz. Puedo ver un color azul ahí donde están sus ojos, aunque eso es lo único que consigo ver porque él está en la luz. La nave vuelve a ascender y emite un extraño sonido, un «wsssht», mientras sube y luego se mueve hacia un lado, o quizás hacia atrás. El vehículo desaparece y el ser radiante está de pie en el suelo. Ahora puedo tocar las rocas otra vez, porque ya no hay electricidad.

El ser está quieto y sé que se supone que debo acercarme a él, de modo que subo por un pequeño sendero entre unas rocas. Cuando me acerco, siento que mi campo de energía fuera de mi cuerpo es similar al suyo. Mi aura empieza a pulsar en resonancia armónica con él. Ahora sé que las respuestas armónicas son su longitud de onda. En cuanto a él, parece que está teniendo problemas para ver porque hay una luz muy intensa a su alrededor. Observándome con cautela, levanta las manos con las palmas mirando hacia mí y entonces puedo ver su rostro. Creo que estoy viendo mi propia percepción física de su cara, una conglomeración de lo que las caras son para mí. Tiene aspecto de semita, pero soy consciente de que estoy organizando su rostro de una manera en que pueda ser visible para mí. Debo ver su rostro. Mientras contemplo su rostro físico, que es muy semita, con la barba y el pelo castaños, sus ojos irradian hacia mí y conectamos. Veo sus ojos porque necesito verlos, y los miro directamente. Cuando lo miro a los ojos, un increíble vórtice de energía sale de ellos y yo entro en su centro. Las manos de este ser todavía están mirando hacia mí, como si estuviera intentando orientarse. Entonces, una vez que he conseguido mirarlo a los ojos, me postro en el suelo. Él coloca sus manos de modo que la energía viene directamente hacia mí. El tiempo se detiene. Mi existencia en el tiempo y en el espacio desaparece, y me siento muy sereno. Nos comunicamos mentalmente.

Él dice: «Isaías, he venido para manifestar tu otro cuerpo en el cuerpo que tienes actualmente. Vivirás esta vida con tu cuerpo de luz contenido en tus células». Ahora bien, esta es una información sumamente inesperada. Obviamente, no la entiendo, pero no digo nada. «Esta es tu segunda encarnación en este planeta desde las Pléyades», dice. «La primera fue como Sacerdote de Enoch. Esta es tu segunda encarnación para que realices el trabajo de Enoch en este planeta. Tendrás una tercera encarnación en este planeta como Barbara. Llevarás el cuerpo de luz de tu lugar de origen, las Pléyades, en el plano físico en la Tierra. Ahora he venido a darte instrucciones. Yo soy Cristo. A través de mí podrás conocer tu esencia. Yo pertenezco a la Santísima Trinidad con el Espíritu Santo, el Padre y el Hijo. Nosotros irradiamos energía triangular hacia ti para que puedas acercarte más a nuestra esencia, la luz. Ahora vas a infundir los planos de luz en la realidad humana incondicionalmente. Ese es tu trabajo. Si quieres hacerme algunas preguntas, simplemente formúlalas en tu mente y yo sabré lo que estás preguntando. Y tendrás la respuesta. Así ha sido a lo largo del tiempo para aquellos que preguntan y escuchan».

Mi mente forma una pregunta: «¿Cómo debo hacer este trabajo?».

«Debes pulsar energía magnética y anclar energía magnética en el plano físico desde los planos de luz, para aumentar nuestra energía en el plano físico. Debes cumplir con este fin permaneciendo lo más cerca posible a la fuente de poder religiosa de los humanos durante tus encarnaciones.»

En mi mente se forma la siguiente pregunta: «¿cómo identifico si la fuente de poder es tu fuente de poder o no?».

«No debes preocuparte por eso. Eres capaz de saber, en todas las situaciones, si la energía proviene de mí o no. Confía en tu percepción. Toda la energía que no provenga de mí acabará disipándose. La energía que nosotros procesamos es muy grande y opresiva en vuestro planeta, pero para nosotros, en nuestros reinos, no es nada. Sin embargo, si tú no anclas, difundes y magnetizas mi energía, el plano terrestre será destruido de alguna forma. Seréis vencidos por esa otra energía que manipula a los seres humanos para que hagan cosas que los destruyen.»

La siguiente pregunta que tengo en la mente es: «si te he oído correctamente, ¿quieres decir que las fuentes de poder están corrompidas de diversas maneras, pero que la única conexión que tienes en este plano es a través de esas fuentes de poder?». Él me comunica que le he entendido bien. Entonces mi pregunta es: «¿cómo utilizo las fuentes de poder que están disponibles para establecer las conexiones?».

«Tienes que actuar con tu propio criterio, basándote en tu percepción intuitiva de cuál es la fuente correcta. Debes hacer muchas cosas con esa fuente, especialmente proteger la información proveniente de ella. Debes esforzarte para obtener las palabras correctas mediante la escritura y también el habla. Tú debes existir como una fuerza de purificación, porque yo vendré más adelante. En todos los rituales en los que participes, tienes el poder de purificar a los participantes en el propio ritual y puedes influir, en cierta medida, en los sacerdotes y las sacerdotisas. Tienes el poder de entrar en el templo para purificarlo. Además, existes para irradiar amor incondicional a todos los seres con los que entras en contacto. La fuerza magnética de la purificación del amor incondicional es mi forma de llegar al plano humano. Tu vida personal como Isaías será una época de absoluta tragedia. Mientras sigas mis instrucciones en esta vida, te parecerá que no tienes éxito en el plano físico. Las fuerzas de energía negativa vencerán al plano terrestre en prácticamente todas las situaciones. Incluso yo seré ocultado y alejado de la gente.

»Tus palabras permanecerán una vez que haya pasado tu época y la gente jamás las perderá. En esta vida, las fuerzas negativas son más poderosas. Pero más adelante, llegará un tiempo en el que las fuerzas negativas serán derrotadas. Todo el significado de esta vida de Isaías es identificar las fuerzas de energía negativa para que se gane la batalla durante tu tercera encarnación. Cuando llegue la Era de Acuario, después de mi encarnación pisciana como Jesús de Nazaret, muchos humanos contendrán sus cuerpos de luz en sus cuerpos físicos y disiparán las fuerzas negativas. Ahora escucha bien: en tu tercera encarnación como pleyadiana, encuentra esperanza y conexión en la gran cantidad de humanos que han hallado mi luz. Cuando ese momento llegue para ti, Acuario, el portador de agua, energizará el planeta. Los egipcios conocían este secreto porque su dios del Nilo, Hapi, estaba representado por el jeroglífico de Acuario. Espera al portador de agua.»

Entonces él desaparece y siento una gran pérdida. Por tan sólo un instante he estado conectado con la parte de mí que siempre ha existido en lo más profundo de mi ser. Encontré un lugar dentro de mí que es mi esencia, un lugar al que puedo regresar continuamente a lo largo del tiempo y el espacio. Y ahora me he quedado solo, como si estuviera en el vacío más cruel en el planeta Tierra. Mi Ser más profundo ha desaparecido, como si yo nunca lo hubiera conocido. Sin embargo, he encontrado un lugar que me dirigirá a lo largo del tiempo. Ahora, como una oveja que ha olvidado su sustento y ha ido más allá de la mente del pastor, estoy completamente solo. Únicamente miles de años más tarde, cuando sea una niñita que sube a una torre de ladrillo en Michigan, volveré a encontrar la luz.

Índice